Musée du Louvre

5 novembre 1982 – 24 janvier 1983

L'atelier de Desportes

Dessins et esquisses conservés par la Manufacture nationale de Sèvres

LXXVIIe exposition du Cabinet des dessins

Ministère de la Culture

Éditions de la Réunion des musées nationaux

Cette exposition a été réalisée par la Réunion des musées nationaux
avec le concours des services techniques du Musée du Louvre

ISBN : 2-7118-0223-X

L'atelier de Desportes

Deux souches d'arbres et chardon (n° 65).

Plaque en porcelaine tendre de Sèvres, 1786. Peinte par Ph. Castel d'après F. Desportes (voir n° 145). Sèvres, Musée national de céramique.

Avant-propos

Par Hubert Landais
Directeur des Musées de France

Les excellents rapports qu'ont toujours eus nos collègues de la Manufacture de Sèvres avec la conservation du Cabinet des dessins ont permis de réaliser un projet qui aboutit à la présente exposition.

Grâce à Jean Mathieu, directeur de la Manufacture nationale de Sèvres, Maurice Sérullaz, Roseline Bacou et leurs collaborateurs, Tamara Préaud et Lise Duclaux, il a été possible d'exposer dans les salles du second étage du pavillon de Flore 150 œuvres de l'atelier de François Desportes.

Cet étonnant ensemble de dessins et d'esquisses peintes sur papier, permettra, nous l'espérons, aux visiteurs de découvrir les qualités d'imagination, d'audace et de liberté de l'artiste. Tandis que l'œuvre d'Oudry était exposée au Grand Palais il a paru opportun de présenter dans le même temps une exposition consacrée à Desportes. Jamais encore un choix aussi important d'esquisses et de dessins, représentatif de l'atelier du peintre, n'a été ainsi offert à l'appréciation des amateurs.

Nous sommes heureux que la Manufacture de Sèvres ait bien voulu se dessaisir pendant quelques mois de ces œuvres pour la plus grande part inédite et nous l'en remercions chaleureusement. Nos remerciements s'adressent aussi à M. Gourdon, administrateur général de la Bibliothèque nationale, M. Melot, directeur du Cabinet des Estampes de la Bibliothèque nationale, Mme Hallé, conservateur du Musée national de céramique de Sèvres, M. Alcouffe, conservateur du Département des objets d'art au Louvre, pour les prêts de pièces apportant un intéressant complément à l'exposition.

Deux études inversées de lévriers (n° 1).

Préface

par Jean Mathieu
Directeur de la Manufacture nationale de Sèvres

Il pourrait sembler étrange à plus d'un visiteur que la Manufacture nationale de Sèvres se signale autrement que par sa propre production d'objets de porcelaine. Ce serait oublier qu'autour de cette production, à la fois phénomène artistique et aboutissement d'une recherche scientifique et technique, s'est développé très tôt un souci de référence documentaire illustrée notamment par la conservation du fonds d'atelier de François Desportes et, plus tard, par la collection de céramiques d'Alexandre Brongniart qui est à l'origine du Musée national de Sèvres.

Certes, le dépôt à Sèvres de ce fonds Desportes tient avant tout à un ensemble de circonstances que le lecteur trouvera exposées ailleurs, dans ce catalogue. Cependant, il ne faut pas minimiser les causes profondes qui ont déterminé cet enrichissement de la manufacture, et en premier lieu la nécessité permanente de produire devant les yeux des jeunes peintres les modèles d'un art ornemental jugé exemplaire.

Il faut rappeler ici que l'originalité de la porcelaine de Sèvres au XVIIIe siècle s'exprime, dès l'époque de Vincennes, dans l'extraordinaire foisonnement de formes et de décors copiés ou inspirés le plus souvent à partir de modèles empruntés aux ateliers des orfèvres, des peintres et des décorateurs contemporains; la tradition des chinoiseries y étant respectée mais pour une part de production bien inférieure à ce qu'elle était ailleurs.

Cette relation étroite et constante entre la peinture décorative et la porcelaine, qui porte les bergers de Boucher ou les trophées de Watteau sur les caisses à fleurs, les vases et les pièces de table ou de cabaret, trouve son prolongement dans la sculpture. Ainsi, par la médiation d'un Blondeau ou d'un Le Riche, on verra les tables dressées s'animer de sujets en biscuit directement issus des chasses royales de Oudry ou des compositions mythologiques de Taraval. Cette inclination pour le précieux assortie d'un goût pour le faste caractérisera longtemps l'esprit du temps. Il est intéressant de noter à ce propos que si l'œuvre de Chardin suscita l'admiration, et en particulier celle de nos philosophes, elle était trop différente et trop moderne sans doute aux yeux du public pour être reprise dans les motifs qui décorent alors les objets de Sèvres.

Ainsi ne faut-il pas s'étonner de voir la manufacture en 1784, à une époque où le néoclassicisme s'imposait, recevoir un fonds d'atelier qui se rattachait à une période déjà révolue. C'est ce qui explique que les peintures du fonds Desportes n'aient été, à quelques exceptions près, ni copiées ni traduites directement dans les décors de la manufacture.

Ce fonds a eu effectivement un rôle à part, une vie propre différente de celle des œuvres conservées par les musées. Ceux-ci exposent pour un public qui regarde, cherchant la satisfaction du cœur et de l'esprit, alors que l'artiste, placé devant le même objet le considère différemment, le scrutant comme une référence, un modèle à étudier. Ainsi, le fonds Desportes a-t-il rempli à Sèvres une fonction pédagogique importante, n'ayant été vu pendant long-temps que par des peintres occupés d'y trouver une leçon.

La manufacture, qui ne pouvait exposer en permanence ces œuvres au public, a cependant toujours cherché à en faciliter l'accès, autorisant la consultation du fonds et consentant, à partir de 1920, des mises en dépôt à diverses institutions : le Musée de la Vénerie à Senlis, le Musée de la Chasse à Gien, le Musée national du Château de Compiègne, le Musée des Arts Décoratifs et le Musée de la Chasse et de la Nature de l'Hôtel Guénégaud à Paris. C'est dans cette perspective qu'elle a saisi l'occasion d'élargir le cercle des connaisseurs de l'œuvre de François Desportes, à la faveur de cette exposition dont l'initiative revient au Cabinet des Dessins du Musée du Louvre.

Sans l'intérêt soutenu et la détermination efficace de ses conservateurs, nos amis Maurice Serullaz et Roseline Bacou, sans le travail remarquable de Lise Duclaux, cette exposition n'aurait pu être réalisée. Le fait qu'elle soit actuellement accrochée à la prestigieuse cimaise du pavillon de Flore met aussi en lumière la qualité des rapports entre les différents départements du ministère de la Culture ainsi que les liens qui unissent les responsables qui les animent. Le Directeur des Musées de France, Hubert Landais a tant de fois apporté le concours des musées aux entreprises que j'ai soutenues en France·et plus souvent à l'étranger, que la possibilité qui m'est donnée aujourd'hui de participer avec la manufacture de Sèvres à une exposition du Louvre me semble une circonstance bien agréable pour lui exprimer ici mes sincères remerciements.

Les archives et collections particulières de la manufacture ont été et sont toujours en de bonnes mains : lorsque Marcelle Brunet prit sa retraite en 1969 elle laissait à Tamara Préaud qui lui succéda à la tête de ce service, un catalogue sur fiches du fonds de l'atelier Desportes qu'elle avait elle-même constitué avec la collaboration de Suzanne Laurent et au prix de bien des difficultés en raison de la dispersion du fonds. C'est ce fichier qui a été la base des recherches et des mises au point opérées par Tamara Préaud et Lise Duclaux.

Il faut ajouter que la concomitance des expositions consacrées à Jean-Baptiste Oudry et à François Desportes relève d'une conjoncture heureuse, et point fortuite, à mettre au crédit de la Réunion des Musées nationaux toujours attentive à piquer l'intérêt du public, en lui proposant des rapprochements et des comparaisons. Rappelons donc à ce propos que Sèvres a produit de chacun de ces peintres des compositions décoratives constituées par des plaques de porcelaine émaillée : les neuf scènes des chasses royales de Oudry conservées à Versailles et quelques rares natures mortes de Desportes dont le Musée national de Céramique possède un exemplaire.

Ces études de Desportes correspondent à un renouveau de la curiosité et de la sensibilité vis-à-vis de la nature. Mais je souhaite qu'elles fassent aussi réfléchir le visiteur sur un problème capital des arts du décor, celui du rapport entre le modèle et son exécution, de la relation entre peintre et décorateur et de l'importance de la qualité de ce dernier. Il ne faut pas oublier en effet, qu'en porcelaine, du fait des techniques du feu, c'est au décorateur qu'appartient le privilège d'éterniser, dans une fraîcheur inaltérable, les nuances de son précieux modèle.

Desportes
Étapes biographiques

par Lise Duclaux

1661

24 février : naissance de François Desportes, à Champigneulles, en Champagne, diocèse de Reims [1], dans une famille de cultivateurs aisés.

1673-1678

Son père l'envoie à Paris chez l'un de ses frères, hôtelier à « La Croix-de-Fer », rue Saint-Denis [2].
Selon Claude-François Desportes [3], les dispositions de François pour le dessin incitent son oncle à le mettre en apprentissage chez Nicasius Bernaerts (1608-1678) peintre flamand, élève de Snyders, fixé à Paris vers 1643 et renommé pour ses peintures d'animaux [4] ; la première formation de Desportes est donc marquée par l'influence flamande (voir chapitre I). Claude-François précise aussi qu'« il n'a point eu d'autre maître que la nature avec les bons conseils qu'il demandait avec ardeur... et que sa mémoire admirable ne laissait jamais échapper » [5]. C'est un témoignage confirmé par les études de l'atelier (chapitre I).

1678

Mort de Nicasius Bernaerts, maître de Desportes.

1678-1692

La vie de Desportes est surtout connue par les indications données par son fils Claude-François, reprises par Dezallier d'Argenville et Mariette, malheureusement parfois sans date [6].
« Il s'attacha sérieusement, écrit Claude-François Desportes, à dessiner à l'Académie, d'après les figures antiques et d'après le modèle » mais aussi « il fut obligé de se livrer... à toutes sortes d'ouvrages... travaillant pour d'autres peintres, pour des entrepreneurs dans des plafonds, dans des décorations de théâtre et faisant enfin tout ce qui se présentait » [7]. On sait en effet que Desportes était lié avec plusieurs artistes : François de Troy [8], ou Hyacinthe Rigaud, chez qui il a travaillé participant à l'exécution des animaux et des paysages, comme Jean-Baptiste Belin de Fontenay et Antoine Monnoyer pour les fleurs, ou

---

1) Champigneulles ou Champigneul : ce lieu de naissance est donné par le premier biographe du peintre, son fils Claude-François (Dussieux, 1854, p. 98). Il est en général retenu, avec des précisions différentes sur la situation du village : dans la Marne (O. Guelliot) ou les Ardennes (G. de Lastic).

2) « Plainte portée par François Desportes 22 novembre 1687 » - *Nouvelles Archives de l'Art français*. III, 1882, p. 124.

3) Dussieux, 1854, p. 98.

4) Faré, 1962, p. 51 ; Brejon-Foucart-Reynaud, 1979, p. 24-25 et p. 181-182.

5) Dussieux, 1854, p. 99.

6) Le but de l'exposition n'est pas de proposer une monographie de l'œuvre de Desportes, mais de présenter un choix de pièces révélant l'importance du fonds de l'atelier conservé à Sèvres ; les principales étapes biographiques sont données ici pour servir de repères chronologiques et ont été établies en utilisant seulement les ouvrages et les articles publiés concernant Desportes.

7) Dussieux, 1854, p. 100-101.

8) *Ibidem*, p. 102.

Joseph Parrocel pour les batailles [9]. Mais c'est surtout avec Claude III Audran (1658-1734) qu'il semble avoir travaillé exécutant les animaux intégrés dans les décors de grotesques du célèbre ornemaniste. Cette collaboration fut poursuivie durant la carrière de Desportes pour de nombreuses commandes. Claude-François Desportes affirme qu'« il avait toujours été dès sa jeunesse en grande liaison avec M. Audran » et cite quelques-unes des décorations les plus célèbres qu'ils exécutèrent auxquelles il faut ajouter les commandes des Gobelins : « C'est avec cet ami qu'il travaille longtemps d'abord au château d'Anet pour le duc de Vendôme, puis à Clichy pour le Grand-Prieur, son frère, à l'hôtel de Bouillon et ailleurs; mais principalement à la ménagerie de Versailles... » [10]. Il a pu aussi rencontrer chez Audran les artistes qui ont passé dans son atelier : Gillot, Watteau, Louis de Boullongne, Christophe Huet ou Pater.

1692
Desportes épouse Angélique-Éléonore Baudot, riche lingère dont le commerce lui permet d'exercer son métier de peintre sans souci d'argent.

1692-1695
Il devait être déjà connu comme peintre animalier, puisqu'il est appelé à la Manufacture des Gobelins pour retoucher les cartons de la tenture des *Anciennes Indes,* et chargé plus particulièrement de repeindre les animaux (chapitre III).

Cependant à cette époque il se consacre surtout au portrait; il reçoit des commandes de seigneurs polonais par l'intermédiaire de l'abbé de Polignac, ambassadeur de France en Pologne.

1695
Naissance de son fils Claude-François, à Paris.

1695-1696
A l'instigation de l'abbé de Polignac, Desportes, après avoir obtenu l'autorisation de Louis XIV, part faire un séjour de deux ans à Varsovie, auprès du roi Jean III Sobieski (1624-1696). Très apprécié comme portraitiste, il reçoit des commandes du Roi, de la Reine, de grands personnages de la cour polonaise; la trace de ces portraits semble perdue et il n'y a d'ailleurs aucun témoignage de son activité de portraitiste dans le fonds de l'atelier de Sèvres.

1696
Le séjour de l'artiste est abrégé par la mort du roi de Pologne, et il est rappelé en France par Louis XIV. Il reçoit une pension et un logement au Louvre.
C'est non comme portraitiste, mais comme peintre animalier que Desportes va faire brillamment carrière. Prenant la succession de son maître Nicasius Bernaerts, il devient le peintre des chasses et de la meute de Louis XIV; le Roi lui demande aussi de représenter les animaux et les oiseaux rares de la Ménagerie (chapitre I).

1699
1er août : Desportes est reçu à l'Académie comme peintre d'animaux. Au Salon de la même année est exposé son morceau de réception : *Autoportrait en chasseur* où il s'est représenté dans un paysage, avec ses chiens et du gibier (Musée du Louvre) [11]. Ce tableau, où se trouvent les thèmes essentiels qu'il va traiter jusqu'à la fin de sa vie, est, selon Mariette : « un de ceux qui lui font le plus d'honneur » [12]. A cette époque il travaille avec Audran à la décoration intérieure de la Ménagerie de Versailles, de même qu'à la Manufacture des Gobelins [13].

1700
Année de la première commande royale : cinq dessus-de-porte représentant des scènes de chasses pour la Ménagerie de Versailles (Musée du Louvre) [14]. A partir de cette date il reçoit de nombreuses commandes de scènes de chasses et de représentations d'animaux, en particulier des chiens de meutes royales (chapitre I). Il étudie sur place les animaux qu'il représente ensuite dans des paysages selon la tradition flamande. C'est à cette époque de sa vie qu'il a sans

9) J. Thuillier-A. Chatelet, *La peinture française de Le Nain à Fragonard,* Genève, 1964, p. 136.

10) Dussieux, 1854, p. 104.

11) Rosenberg-Reynaud-Compin, 1974, n° 207, repr. La peinture a été gravée par F. Joullain.

12) *Abecedario,* p. 99.

13) Fenaille, 1904.

14) Dépôts au Musée de la Chasse et de la Nature, Paris; Lastic, 1961, p. 56-57, fig. 1 à 4.

doute réalisé le plus grand nombre des esquisses d'après nature de paysages, plantes et arbres, qui forment la part la plus originale de l'atelier présenté dans cette exposition (chapitre II).

1702

Commande du Roi pour Marly : quatre dessus-de-porte représentant les chiens favoris de Louis XIV (Musée du Louvre) [15]. La même année le Grand Dauphin, fils de Louis XIV, comme lui passionné de chasse, commande cinq tableaux de chasse pour la nouvelle galerie du château de Meudon [16].

1704-1708

Nommé conseiller de l'Académie, Desportes, à partir de 1704, expose régulièrement aux Salons, jusqu'en 1742.

Le succès de ces décors de chasses suscite de nombreuses commandes royales, mais aussi de riches particuliers et d'amateurs. Le peintre travaille pour des Français, le duc du Maine, le prince de Condé, Jean de Jullienne, le conseiller Glück, pour ne citer que quelques noms parmi ceux qu'énumère Claude-François [17]. Il est aussi en relation avec des étrangers : le comte de Tessin, ambassadeur de Suède en France, des Anglais, comme Lord Stanhope [18].

A cette époque, sans abandonner la représentation des animaux, Desportes introduit dans ses compositions des éléments décoratifs : vases, étoffes, argenterie, fleurs et fruits, et commence à peindre des natures mortes (chapitre IV).

A la Manufacture des Gobelins, il collabore aux travaux d'Audran avec Belin de Fontenay et Watteau [19] : tenture des *Enfants Jardiniers* ou des *Quatre Saisons* d'après Le Brun; suite des *Mois,* dont les motifs sont repris pour des paravents.

F. Desportes, *Autoportrait en chasseur,* 1699. Paris, Musée du Louvre.

1709

Commande du Grand Dauphin pour Meudon : deux dessus-de porte pour la Salle des gardes représentant des *Chiens gardant du gibier* (Musée du Louvre) [20].

1712-1713

Desportes était déjà connu en Angleterre lorsque l'ambassadeur de France, le duc d'Aumont, lui propose de l'y accompagner. Ayant obtenu l'autorisation du duc d'Antin, directeur des Bâtiments du Roi, il y passe six mois.

1714

Dernière commande de Louis XIV pour Marly : quatre dessus-de-porte représentant à nouveau les chiens de sa meute (Musée du Louvre) [21]. Desportes reçoit aussi la commande de deux peintures de chasses pour l'hôtel d'Antin à Paris (Musées d'Angers et de Lyon).

15) Dépôts au Musée de la Chasse et de la Nature, Paris; Lastic, 1961, p. 57, fig. 9 et 10.
16) Musées de Fontainebleau, Besançon, Versailles, Gien; Lastic, 1977, p. 291.
17) Dussieux, 1854, p. 108.
18) *Ibidem*, p. 105; Faré, 1962, p. 156-157.
19) Fenaille, 1904, p. 2, 74, 84-97, 172.
20) Dépôts au Musée de la Chasse et de la Nature, Paris; Lastic, 1978, p. 23, fig. 3.
21) Dépôts au Musée de la Chasse et de la Nature, Paris; Lastic, 1977, p. 291, repr. col. A.

1715

Mort de Louis XIV.
Desportes connu et apprécié du duc d'Antin, et du Régent, travaille pour les maisons royales, pour les Manufactures de la Savonnerie et des Gobelins.

1716-1718

Trois dessus-de-porte pour le Palais-Royal et quatre tableaux pour le château de la Muette sont commandés à Desportes par le Régent [22].

1718

17 juillet : naissance de Nicolas Desportes, à Buzancy dans les Ardennes; son père, cultivateur, est l'un des frères de François.

1719-1720

Commandes du duc de Bourbon, pour le château de Chantilly et du duc d'Antin pour son appartement des Tuileries, et pour le château de Petit-Bourg [23] (décorations disparues).

1722

Aux Gobelins, Desportes participe pour la deuxième fois à une importante modification de la tenture des *Anciennes Indes,* pour la création d'une deuxième tenture de dimensions réduites qui sera les *Petites Indes,* la première tenture étant appelée les *Grandes Indes* [24].

1723

25 septembre : le fils de Desportes, Claude-François, est reçu à l'Académie; son morceau de réception, *Gibier, animaux et fruits* est au Louvre [25]. Il travaille dans l'atelier de son père, et sera conseiller de l'Académie et peintre ordinaire du Roi. Mais il expose rarement aux Salons (1725, 1737, 1739), ayant aussi une activité d'écrivain, poète et historien d'art.

1724

Nouvelle commande du duc de Bourbon pour le château de Chantilly, deux *Chasses* (château de Grosbois).

1725-1726

Commande du conseiller Glück, cousin de Jean de Jullienne, pour le château de Virginie, près de Sceaux : deux scènes de chasses et quatre trophées [26].

1726

Mort de la femme de Desportes [27].

1728

Nicolas Desportes, neveu du peintre, âgé de 10 ans, vient à Paris; logé chez son oncle, il travaille avec lui et avec son cousin Claude-François.

1735

30 mai : Nicolas est reçu à 16 ans comme élève de l'Académie; il entre à l'atelier de Rigaud pour étudier le portrait. C'est en 1735 que Desportes reçoit la commande de la tenture des Gobelins, les *Nouvelles Indes* qu'il terminera seulement en 1741 (chapitre III).

1738

Commande de Louis XV pour le Cabinet des jeux du château de Compiègne : cinq peintures représentant les chiens de la meute royale (Compiègne, Musée national du château).

1741

Une pension sur le trésor royal est accordée à Desportes.

1742

Le décor du château de Choisy récemment acquis par Louis XV est commandé à Desportes et Oudry. Desportes exécute une *Chasse aux Cerfs* pour la Salle des buffets (Musée de Grenoble), et commence pour la même salle un grand *Buffet,* qui restera inachevé. Il peint encore pour le château de Choisy deux dessus-de-porte représentant des oiseaux exotiques (Museum d'histoire naturelle, Paris) [28]. Les commandes du décor de Choisy sont les dernières reçues par Desportes avant sa mort.

22) Deux tableaux, aux Musées de Lyon et de Grenoble; Lastic, 1961, p. 63, fig. 5. et 6; Lastic, 1977, p. 291-292, fig. 4.
23) Les trois tableaux de chasses du château de Chantilly sont au Musée de la Vénerie à Senlis et au Musée de Lyon; Lastic, 1977, p. 292, repr. col. B.
24) Fenaille, 1903, p. 387.
25) Rosenberg-Reynaud-Compin, 1974, n° 206, repr.
26) Lastic, 1961, p. 63, fig. 11 à 13. Les deux chasses sont gravées par F. Joullain.
27) Dussieux, 1854, p. 101.
28) Blumer, 1945, p. 62, 65-66.

1743

Desportes meurt le 20 avril dans son logement du Louvre. L'acte d'inhumation est dressé en l'église Saint-Germain-l'Auxerrois [29]. Le *Mercure de France* de juin publie une biographie du peintre, témoignant de sa célébrité auprès de ses contemporains [30].

1745

Un autre témoignage est apporté par Dezallier d'Argenville dans la première édition de l'*Abrégé de la vie des plus fameux peintres,* où plusieurs pages sont consacrées à Desportes [31].

1748

3 août : conférence de Claude-François Desportes à l'Académie royale [32] donnant des précisions sur la vie de son père, auxquelles se réfèrent ses biographes, mais aussi des indications précieuses sur la méthode de travail du peintre (voir p. 18).

29) Faré, 1962, p. 157.
30) *Mercure de France,* juin 1743, p. 1187 à 1192.
31) Dezallier, 1745, II, p. 394-399.
32) Dussieux, 1854, p. 98-113.
33) Dezallier, 1762, IV, p. 332-339.
34) Guelliot, 1932.

1755

Nicolas Desportes est agréé à l'Académie.

1757

.Reçu à l'Académie, Nicolas expose aux Salons jusqu'en 1771.

1762

Dans la deuxième édition de l'*Abrégé de la vie des plus fameux peintres,* est publié à nouveau le texte de 1745 [33].

1774

31 mai : mort de Claude-François à Paris, au Louvre. Nicolas Desportes abandonne le logement et l'atelier du Louvre [34].

1784

Cession par Nicolas Desportes des peintures, des esquisses et des dessins constituant le fonds de l'atelier de son oncle, au comte d'Angiviller, Directeur des Bâtiments du Roi (voir p. 18).

1787

26 septembre : mort de Nicolas Desportes, à Paris.

L'atelier de Desportes

Par Tamara Préaud

Le 18 octobre 1784, le peintre Nicolas Desportes proposait au comte d'Angiviller, Directeur général des Bâtiments et Manufactures, de lui vendre l'ensemble des tableaux et études constituant l'atelier de son oncle, François Desportes, dont il avait hérité par l'intermédiaire du fils de celui-ci, Claude-François, également peintre. On pourrait s'interroger sur les raisons qui ont pu amener d'Angiviller à proposer au Roi cette acquisition. G. de Bellaigue, dans un récent article [1] relatif aux sources dessinées et peintes utilisées par les décorateurs de la Manufacture royale de Sèvres, a étudié les correspondances à ce sujet entre le directeur de la Manufacture, Antoine Régnier, et le chef des peintres Jean-Baptiste-Étienne Genest d'une part et Claude d'Angiviller et son premier commis Jean-Étienne de Montucla de l'autre. Il rappelle que le directeur artistique Jean-Jacques Bachelier avait proposé en 1783 une liste d'acquisitions rendues nécessaires par la « dispersion ou l'anéantissement » du fonds ancien, prétendant qu'autrefois une somme annuelle de 1 200 livres était consacrée à ce type d'achats; lors de semblable demande renouvelée en 1784, d'Angiviller prit soin de consulter Régnier et Genest qui avaient vivement protesté. Genest affirma alors qu'il existait bien assez de modèles et pour les élèves et pour les décorateurs, ajoutant un trait caractéristique de la Manufacture souvent sous-estimé : que les œuvres proposées ne pouvaient convenir car les modèles devaient pouvoir être repris tels quels, les décorateurs de Sèvres étant, pour la plupart, de simples copistes. Il pourrait donc

paraître étrange que d'Angiviller, si soucieux d'éviter l'achat de collections inutilisables, ait accepté celle que lui proposait Nicolas Desportes.

Plusieurs raisons ont dû militer en faveur de cette acquisition. D'une part, d'Angiviller était soucieux de trouver lui-même des modèles pour la Manufacture. Ainsi, dans une note sur le brouillon d'une lettre d'Angiviller au marquis de Turpin, Montucla a-t-il noté : « Avant que Monsieur le comte signe cette lettre, je crois devoir lui demander s'il ne jugeroit pas que le tableau de la *Mort de Leonard de Vinci* seroit propre à former un sujet intéressant pour quelque tableau de la manufacture royale de Sèvres » « M. le comte n'a pas trouvé que ce sujet fut propre à cet objet » [2]. De même, Clément-L.-M.-A. Belle ayant envoyé une liste des « tableaux qui me paroissent tres convenables aux vües de Monsieur le Directeur Général et aux vôtres Monsieur pour le succès de la Manufacture de Seve... », Montucla note en marge : « Idées de M. Belle sur des tableaux qu'on pourroit prêter de la Manufacture des Gobelins pour executer a celle de Sevres. En général M. le comte ne les a pas goutées... » [3]. D'autre part, le nom de Desportes revint à plusieurs reprises et de divers côtés au cours des années 1783-1784 : le 27 mars 1784, Jean-Baptiste-

---

1) Bellaigue, 1980, p. 667-676.
2) Archives nationales, 0¹ 1917, 10 février 1784. Il s'agit du tableau de François-Guillaume Ménageot, alors aux Gobelins pour y être copié.
3) Archives nationales, 0¹ 1061¹, 16 mai 1784.

Marie Pierre, directeur des Gobelins, écrit à d'Angiviller : « Pendant notre travail M. le prince Gagarin russe est arrivé... il désire deux pièces des Indes et demandoit la suppression des bordures... » [4]; or il s'agit bien des *Nouvelles Indes* dont les cartons ont été entièrement remaniés par Desportes puisqu'on retrouve les deux tapisseries en question, « Le Chameau » et « Les Taureaux », sur l'inventaire au 1er octobre 1786 avec en marge la mention : « deux pièces des Indes d'après Desportes commandées par le Prince Gagarin » [5].

A Sèvres même, il s'avéra que les œuvres de François Desportes, loin d'être passées de mode, pouvaient encore servir de modèles : Régnier ayant exposé le 28 février 1784 que Nicolas Desportes a prêté deux tableaux « en oiseaux et animaux » pour qu'on puisse les copier sur des plaques, en demandant l'autorisation de lui offrir en échange un présent en porcelaine, d'Angiviller accepte, ajoutant : « Comme je compte aller incessamment à la Manufacture je ne serais pas fâché de voir les deux tableaux dont vous me parlé avant que l'on commencent à les copier » [6]. Le 20 juin, il écrit : « Les deux tableaux de Desportes que j'ai vus hier m'ont parû fort beaux. Ainsi vous pouvés les faire copier... » [7].

On peut supposer que c'est précisément cette demande qui a suggéré à Nicolas Desportes l'idée de proposer l'ensemble de l'atelier au comte d'Angiviller. J.-B.-M. Pierre, en tant que premier peintre du Roi, était alors directeur des Gobelins et de la Savonnerie ainsi que de l'Académie. Nicolas étant également académicien, les deux hommes devaient se connaître; il semble que Pierre ait servi d'intermédiaire au moment de la transaction : sur l'inventaire de la main de Nicolas conservé aux Archives nationales, on a noté : « 18 octobre 1784, Etat des Tableaux de Desportes qui propose de vendre au Roy; le 19 octobre 1784 lettre a M. Pierre premier peintre présentateur de cette feuille; au 24 octobre décision du Roy qui accepte et accorde pension de 1 200 livres reversible pour deux tiers à la dame Desportes » [8]. On a également conservé le Mémoire, en date du 24 octobre 1784, présenté au Roi par d'Angiviller pour proposer cette acquisition et portant le *Bon* du souverain [9]. Mais il a dû y avoir à l'origine deux exemplaires de l'inventaire de Nicolas : celui du 18 octobre, remis à Pierre et sans doute perdu aujourd'hui et celui envoyé directement à d'Angiviller le 18 novembre 1784, sur la lettre d'envoi duquel on a noté : « le S. Desportes remet etat des etudes qu'il desire vendre au Roy pour la Manufacture de Sevres... » [10]. Dès le 14 novembre, Nicolas Desportes avait remercié d'Angiviller pour le « traitté qui vien d'etre souscry, pour ceder au Roy, les ouvrages de feu Mr. Desportes, dont je suis possesseur... » [11], ajoutant : « Monsieur Pierre doit venir avant peu pour recevoir et vérifier la livraison de tout les effets dont il sera fait un Etat ».

L'achat eut donc lieu en octobre 1784, mais les études, dessins et tableaux n'arrivèrent pas immédiatement à Sèvres. En fait, on peut se demander à qui d'Angiviller entendait destiner la collection. Dans le Mémoire présenté au Roi, il dit que les œuvres « peuvent être très utiles non seulement pour les écoles de l'académie, mais encore pour la manufacture de Sèvres ». Nous avons vu, d'autre part, que sur la lettre d'envoi de l'inventaire dressé par Nicolas Desportes, une note précise : « désire vendre au Roy pour la Manufacture de Sèvres ». D'Angiviller ne semble pas

---

4) *Ibidem*, 0¹ 1051¹, année 1784.

5) *Ibidem*, 0¹ 2051³, année 1786.

6) Manufacture nationale de Sèvres, Archives, Carton H.3, liasse 2, 2 mai 1784.

7) *Ibidem*.

8) Archives nationales, 0¹ 1921ᴮ, dossier Desportes. L'inventaire dressé par Nicolas a été publié dans Engerand, 1901, p. 611-614.

9) Archives nationales, 0¹ 1917, liasse 4, n° 376. « Mémoire. Le S. Desportes, peintre de l'académie, qui a pratiqué avec distinction les genres d'animaux et de fleurs, et parvenû à un âge qui l'expose à des besoins trop au-dessus de sa médiocre fortune, possède cinq à six tableaux assez précieux et une collection considérable d'études qui peuvent être très utiles non seulement pour les écoles de l'académie, mais encore pour la manufacture de Sevres. Il les estime à environ 18 000 livres et M. Pierre, premier peintre, croit cette estimation raisonnable.
Cependant il seroit peut-être difficile qu'une vente publique donnât ce produit, attendu que de simples études sont peu faites pour les cabinets d'amateurs et ne conviennent qu'à ceux qui peuvent y puiser des leçons comme les éleves de l'académie et les ouvriers de Sèvres.
Dans cet état le Directeur General des Batiments croit pouvoir proposer à Sa Majesté de se rendre propriétaire de la collection du S. Desportes, sous la condition, adoptée par cet artiste, qu'il lui sera assigné une pension viagère de douze cens livres réversible après lui pour deux tiers sur la tête de sa femme ». D'Angiviller reprend pratiquement les mêmes arguments, sur un ton plus familier, dans la lettre à Pierre du 19 octobre 1784 (Faré, 1962, t.I, p. 156).

10) Archives nationales, 0¹ 1921ᴮ, dossier Desportes. « Monsieur le comte, Voicy l'etat que vous mavez fait l'honneur de me demander je mempresse de vous l'envoyer, jen ai remis un pareil, a Monsieur Pierre... ».

11) Archives nationales, 0¹ 1917, liasse 4, n° 388.

avoir été alors décidé à donner l'ensemble à la Manufacture : le 4 février 1785, à la suite d'une demande de Régnier du 1er février, il écrit à Pierre : « … Au reste, comme une des vues que j'ai eues en acquérant pour le roi tous ces ouvrages de feu M. Desportes, a été l'utilité de la Manufacture royale de Sevres, il seroit temps de faire un triage de ce qui ne peut etre d'usage que pour ce dernier objet. Je chargerai d'apres ce que vous me marquerez M. Bachelier et M. Regnier de faire avec vous ce travail » [12]. Cette lettre paraît établir avec certitude qu'à cette date d'Angiviller envisage encore de ne donner à Sèvres qu'une partie du fonds. Le 15 février, d'Angiviller écrit encore à Bachelier dans le même sens [13]. Bachelier semble s'être conformé à ces instructions, puisque d'Angiviller écrit le 15 mars 1785 à Régnier : « Comme Sa Majesté a fait, Monsieur, l'acquisition d'un lot considérable d'ouvrages et etudes de feu M. Desportes, le célèbre peintre d'animaux et de fleurs, j'avois chargé M. Bachelier de faire le triage de ce qui seroit utile à la Manufacture Royale des Porcelaines. Il l'a fait et il doit incessamment faire transporter à la Manufacture quelques tableaux et quantité de portefeuilles d'études plus ou moins terminées et faites d'après nature… » [14]. Pourtant, le lendemain, Pierre écrit à d'Angiviller : « … J'étois étonné que M. Bachelier ne m'eut pas attendu, pour la révision des dessein de M. Desportes. J'avois eu la précaution de dire à ce dernier de ne rien remettre avant notre concours. Je viens de prendre jour avec M. Bachelier et je me ferai accompagner par M. Lagrenée le jeune… » [15]. Il se pourrait donc que Bachelier ait effectué seul une première reconnaissance du fonds, avisant aussitôt d'Angiviller qu'il avait procédé au tri qu'on lui demandait. Mais la lettre de Pierre implique qu'à cette date, les œuvres étaient encore chez Nicolas Desportes. Finalement, une note de Pierre relative aux Gobelins et à la Savonnerie, simplement datée de mars 1785, porte en dernier paragraphe : « … la reconnaissance des desseins, études et tableaux de M. Desportes a été faitte en présence du directeur de l'Academie par MM. Bachelier et Lagrenée »; Montucla a noté en marge : « M. d'Angiviller a explique sur cela verbalement ses intentions a M. Pierre; scavoir que le tout fut transporté immediatement a Sevres où se fera le triage » [16]. Comme la réponse à cette note date du 11 avril, on peut dater la réunion fin mars-début avril. Elle eut pour résultat un second inventaire, beaucoup plus précis que le premier, intitulé : « Etat des tableaux et études de François Desportes appartenans au Roy destinés par Monsieur le comte de la Billarderie Dangiviller pour le service de la Manufacture royale de porcelaine de Sevres » [17]. Le transport à Sèvres dut avoir lieu avant le 13 avril, date où d'Angiviller écrit à Régnier qu'il compte aller à la Manufacture pour voir les tableaux [18]. Le 26 avril, Nicolas Desportes réclame à d'Angiviller son brevet de pension en disant : « …Il y a déjà du tems que tous les ouvrages de feu Mr. Desportes mon oncle ont été transporté à la Manufacture de Sève… » [19]. Reste à savoir si un tri a effectivement eu lieu : il est extrêmement difficile de rapprocher les chiffres, d'ailleurs contradictoires, des deux inventaires précités de ceux de la collection actuelle, tant en raison de l'imprécision des mentions anciennes qu'à cause des manipulations postérieures, lors de restaurations ou de montages [20]. Les descriptions de l'inventaire Pierre-Bachelier-Lagrenée, les plus explicites, ont permis à Marcelle Brunet d'effectuer le rapprochement avec quelques études, et certaines œuvres facilement repérables, comme le tableau représentant des *Jeux d'enfants* peint à l'imitation d'un bas-relief de marbre, ont manifestement disparu. Cependant, le comptage est d'autant plus malaisé que les études furent aussitôt réparties entre les portefeuilles constituant la réserve des modèles et les tableaux accrochés dans les ateliers; intégrées au fonds ancien, elles n'en furent pas distinguées lors du premier inventaire méthodique des collections de la Manufacture entrepris en 1814. En outre, comme l'atelier de Desportes

---

12) *Ibidem,* O¹ 2061¹.

13) *Ibidem.*

14) Manufacture nationale de Sèvres, Archives, Carton H.3, liasse 3.

15) Archives nationales, O¹ 1918¹, n° 92, 16 mars 1785.

16) *Ibidem,* O¹ 2051², année 1785.

17) *Ibidem,* O¹ 1921ᴮ, dossier Desportes. Cf. Engerand, 1901, p. 614-625.

18) Manufacture nationale de Sèvres, Archives, Carton H.3, liasse 3.

19) Archives nationales, O¹ 1918¹, n° (121) 126.

20) L'inventaire de Nicolas Desportes mentionne 31 tableaux sur châssis et 799 études, huiles et dessins confondus. Celui dressé sous le contrôle de Pierre, Bachelier et Lagrenée compte 36 tableaux sur châssis et 676 études. La collection actuellement attribuée à l'atelier Desportes comporte 469 pièces.

comportait des tableaux d'autres artistes [21], on a eu tendance par la suite à y rattacher tous les tableaux anciens de même genre conservés à Sèvres [22], de sorte que les chiffres actuels ne peuvent être d'aucune utilité [23]. Reste que l'atelier comportait d'une part des dessins employant des techniques variées (48 aujourd'hui), d'autre part des études à l'huile soit sur papier collé sur carton ou sur bois (243) soit sur des toiles (178) parfois montées sur châssis.

Sans doute mis en garde par les pertes que signalait Bachelier, d'Angiviller se préoccupa très rapidement de la conservation du fonds. En annonçant à Régnier l'arrivée prochaine des œuvres [24], il ajoute : «...Vous connoissez parfaitement le mérite de M. Desportes... et il m'est inutile de vous recommander de donner et faire donner, par les chefs des atteliers où ils seront employés, tous les soins nécessaires pour leur conservation et la bonne tenue d'une collection aussi précieuse... ». Et le 9 juin, il envoie une lettre très détaillée sur le même sujet à Régnier, Bachelier et Lagrenée [25]. Encore en juin 1787, il payait Bachelier pour des restaurations [26].

Les œuvres furent alors divisées entre les ateliers des peintres; lors du déménagement de la Manufacture pour ses locaux actuels en 1878, Champfleury, alors conservateur du Musée, les installa dans une salle spécialement aménagée et en dressa l'inventaire [27]. L'examen attentif des études amena une première campagne de restaurations [28]. Le fonds resta ainsi accessible à des amateurs privilégiés et ne fut montré au public que lors de l'exposition organisée par l'administration de Sèvres à l'occasion de la Saison d'art de Beauvais en 1920 : le grand nombre de dessins, tableaux et études exposés alors constitua une véritable révélation, suscitant de nombreux articles. La Manufacture, qui s'était vu reprocher injustement à la fois de négliger cette collection et de la cacher, continua ses campagnes de restaurations et inaugura une politique nouvelle consistant à mettre certaines des œuvres en dépôt dans des musées où elles étaient censées être plus accessibles au public. C'est ainsi que quelques-unes des œuvres exposées aujourd'hui, faisant partie de l'atelier acquis par d'Angiviller et appartenant à la Manufacture, proviennent des dépôts consentis à la Maison de la Chasse et de la Nature (Paris), au Musée des Arts décoratifs (Paris), au Musée de la Vénerie (Senlis), au Musée de la Chasse (Gien) et au Musée national du château de Compiègne

21) Nicolas Desportes signale « 52 toiles roullées dont quelques unes de Seneidre, Nicasius... », une Guirlande de raisins par Baptiste et un portefeuille d'architecture « d'Opnord ». L'inventaire Pierre-Bachelier-Lagrenée y ajoute deux copies d'après François par Nicolas·Desportes et « un (châssis) où il y à une douzaine d'études de chiens peintes par Nicasius ».

22) Il est probable que le *Combat de chats* aujourd'hui rendu à Nicasius Bernaerts, mais entré sous le nom de Desportes, en a bien fait partie; il est possible que les tableaux de maîtres hollandais (J. Fyt, P. de Vos...) aient effectivement été transmis à Desportes par son maître. Mais l'origine des tableaux français (Monnoyer, Oudry, Belin de Fontenay) est plus incertaine. On sait par les inventaires qu'au moins un des Belin de Fontenay fut acheté bien avant l'atelier Desportes (Manufacture nationale de Sèvres, Archives, Carton I.7, inventaire au 1er janvier 1765 : parmi les « Tableaux et desseins acquits pendant l'année 1764 »... « un tableau ovale Fontenaye, 24 livres... ».

23) Précisons que, d'après les mentions portées par le conservateur des collections, Denis-Désiré Riocreux, sur les inventaires dans la première moitié du XIXe s., un tableau fut égaré vers 1830 et trois détruits par l'humidité avant 1824. Lors de son inventaire en 1886, Champfleury constate 24 disparitions par rapport à 1814. Enfin, trois tableaux ont été irrémédiablement endommagés lors des bombardements de 1942.

24) Manufacture nationale de Sèvres, Archives, Carton H.3, liasse 3, 15 mars 1785.

25) *Ibidem.* « M. Montucla m'a rendu compte, Monsieur, de la conversation qu'il avoit eûe tant avec vous qu'avec Mrs. Bachelier et Lagrenée concernant les tableaux de M. Desportes, ainsi que sur la maniere de les mettre en etat d'etre conservés; et enfin relativement aux desseins qui exigent quelques preparations pour pouvoir etre employés dans les ateliers sans deterioration. Pour ce qui concerne le premier objet j'ai chargé Mrs. Bachelier et Lagrenée de faire nettoyer ces tableaux en ayant l'œil à ce que dans cette operation ils n'eprouvent aucune deterioration; lorsqu'ils seront en etat, il sera à propos de les mettre dans des bordures simples et je crois que ce qui conviendra le mieux pour allier l'économie avec un peu de décoration sera de faire faire par le menuisier de la Manufacture des bordures en plate bandes qu'on peindroit en couleur d'or. Ces tableaux d'ailleurs pourroient ensuite etre rangés et suspendus dans la premiere piece de la Manufacture.
A l'égard des dessins une operation à tout est de les faire coller sur des cartons, les numeroter et en dresser un etat et afin que pendant qu'on les copiera ils n'eprouvent aucun dommage, je vous autorise à faire faire une douzaine de chassis ou bordures en bois des grandeurs convenûes avec Mrs. Bachelier et Lagrenée, qui seront garnis de verre blanc et dans lesquels ces desseins seront tenus pendant qu'ils seront dans l'atelier. Vous dresserez de concert avec ces Messieurs les memoires de ces frais differens... ». Ces instructions furent effectivement suivies et les études sur papier se présentent effectivement presque toujours collées en plein sur des cartons et sont souvent entourées de passe-partout bleutés soulignés de filets bruns.

26) Bellaigue, 1980, p. 672; Champfleury, 1891, p.l.

27) Manufacture nationale de Sèvres, Archives, carton U.5. Champfleury a réintégré les œuvres dans l'ensemble du fonds ancien pour publier en 1891 l'inventaire général de celui-ci.

28) Manufacture nationale de Sèvres, Archives, Carton U.6.

où de nouvelles salles viennent de leur être spécialement consacrées. En outre, les œuvres commencèrent d'être prêtées à des expositions de plus en plus nombreuses, dont deux furent entièrement consacrées à Desportes [29].

Il reste à s'interroger sur l'utilité de cette collection pour le travail de la Manufacture. Signalons tout de suite qu'à deux reprises au cours du XIXe siècle, des pièces furent prêtées à la Manufacture de Beauvais [30]. En porcelaine, on connaît peu d'objets directement inspirés par ces études : la plaque du Musée national de céramique exposée ici (cf. fig...); deux plaques montées sur des secrétaires de l'ancienne collection J.P. Morgan aujourd'hui au musée de Philadelphie [31]; une plaque signée Didier récemment passée en vente [32]. Pour les pièces de service, G. de Bellaigue signale un pot à eau et sa cuvette et une assiette des collections royales anglaises [33]. On peut y ajouter une tasse et sa soucoupe de la Wallace collection de Londres [34], une tasse et sa soucoupe à Woburn Abbey et un troisième ensemble semblable au Musée de la Chasse et de la Nature à Paris (Inv. 61.217.1) [35].

Les archives apportent peu de renseignements complémentaires dans la mesure où nous ne pouvons prendre en compte que les références explicites à Desportes, puisque fleurs, fruits et animaux faisaient partie des décors courants depuis les origines de la manufacture [36]. Les études durent également servir à Bachelier pour son école gratuite de dessin [37]. Encore en 1848, J.-Ch. Develly orna un vase d'un « Sujet de chasse d'après Desportes » [38]. On voit que l'utilisation de la collection est restée très limitée, surtout si l'on pense aux innombrables « oiseaux de Buffon » cités dans les années 1785-1790. Cela tient sans doute au type même des œuvres : des études isolées et hors-format ne pouvaient guère servir à des décorateurs essentiellement copistes; les tableaux étaient plus susceptibles d'être copiés directement sur des plaques, mais des réalisations aussi coûteuses ne pouvaient être multipliées, surtout dans une période de crise économique. On aimerait pouvoir se consoler en pensant que le peu d'utilité de cette acquisition servit au moins de leçon; il n'en est rien : la Manufacture acheta en l'an XI au « Citoyen Redouté » 53 études à la gouache de fleurs, fruits et oiseaux qui semblent lui avoir encore moins servi [39].

Il nous reste à examiner les diverses inscriptions et cachets qui peuvent apparaître sur les œuvres non montées. Une première série d'inscriptions, toujours à la mine de plomb, doit pouvoir être attribuée à François Desportes lui-même, étant donné qu'il s'agit en général de corrections ou de compléments au dessin de premier jet, concernant les proportions ou les couleurs (cf. n° 27, 95, 109, 118). Ces notations ont parfois été rendues illisibles par la pose de vernis protecteurs (cf. n° 42). Un autre ensemble de notations, généralement à l'encre brune et exceptionnellement au crayon (cf. n° 28) peut, par comparaison avec ses lettres et son inventaire, être attribué à

29) Expositions, Compiègne, 1961, et Gien, 1961.

30) Deux tableaux *Chien chassant une perdrix* et *Chien chassant un faisan* furent prêtés en 1844 (Manufacture nationale de Sèvres, Archives, Registre Vq bis 1, fol. 86v°); un *Chien effrayant une cane et ses petits* en 1868.

31) Encore ne s'agit-il pas ici de copies fidèles mais de l'utilisation de quelques éléments de deux compositions; l'une de celles-ci a même été inversée sur la plaque (S.6 et S. 12). (Cf. Rieder, à paraître).

32) Vente (arts), 1977, 24 mai, Mentmore, Sotheby's, n° 2078, p. 43. Charles-Antoine Didier père fut peintre à Sèvres de 1787 à 1800, de 1806 à 1807 et de 1823 à 1825.

33) Bellaigue, 1980, p. 675 et fig. 18.

34) Savill, à paraître (numéro provisoire IV A 15).

35) Ces renseignements m'ont été aimablement communiqués par G. de Bellaigue et R. Savill.

36) On trouve mention de la plaque du Musée national de Céramique (fig. 00) : Philippe Castel, peintre à Sèvres de 1772 à 1796, a été payé en janvier 1786 pour « ... plaque quarrée commencée en 1784 d'après Desportes » (Manufacture nationale de Sèvres, Archives, Registre Vj' 3, fol. 78 et Vj' 4, fol. 80); étant donnée la date, il doit s'agir de l'une des plaques pour lesquelles on a sollicité Nicolas Desportes avant la vente. Jacques-François Micaud, père, peintre de 1757 à 1810, fut payé le 30 janvier 1786 pour « 1 plaque quarré long 2 g. 16 p. 1/2 s. 12 p. 3 lig.; Vases de fleurs d'après Desportes » (*Ibidem*, Registre Vj' 4, fol. 180). Le même Micaud fut payé le 4 avril 1792 pour « 1 plaque ronde 1ere gr. Tableau de fleurs, Desportes » et le 25 août de la même année pour « 1 plaque ronde 1ere Guirlande de fleurs Desportes » (*Ibidem*, Registre Vj' 5, fol. 152). C'est peut-être également de Desportes que s'est inspiré Castel, payé le 18 juillet 1793 pour « 1 plaque peinte p. Micaud, y avoir peint un perroquet » (*Ibidem*, fol. 57). Enfin, Philippe Parpette, peintre de 1755 à 1757, 1773 à 1786 et 1789 à 1806, fut payé le 23 février 1791 pour « 1 plaque quarrée de 14 1/2 p. sur 17 1/2 p. Vase de fleurs, fruits, etc. d'après Desportes » (*Ibidem*, fol. 174).

37) Richard et Jourdain, manœuvres, furent payés 18 livres en extraordinaire en juillet 1787 « pour voyager à Paris chez M. Bachelier pour porter et rapporter la collection des tableaux de Desportes » (Manufacture nationale de Sèvres, Archives, Carton F 29; cette référence m'a été aimablement signalée par G. de Bellaigue). A moins que cette course ne soit à mettre en relation plutôt avec sa campagne de restaurations (Cf. note 26).

38) Brunet, 1947, catalogue n° 23, p. 51.

39) Manufacture nationale de Sèvres, Archives, Registre Vf 53, fol. 35v°.

Nicolas Desportes. Il s'agit en général de l'identification des sujets représentés; on ne peut sans doute pas faire entièrement confiance à ces notations relativement tardives. Deux autres notations, l'une à l'encre (cf. n° 113) et l'autre au crayon (Sèvres S 220), semblent également d'une écriture relativement ancienne, contrairement aux noms de plantes portés à l'encre sur les montages ou les dessins même d'une écriture qui ne remonte sans doute pas au-delà du xixe siècle.

On voit également apparaître des numéros à l'encre, parfois répétés en plusieurs sens ou à plusieurs endroits sur une même étude. Il s'agit vraisemblablement des numéros de classement dans les portefeuilles de l'atelier puisqu'ils ne correspondent jamais à ceux de leur première intégration dans les portefeuilles de la Manufacture de Sèvres, portés en général au verso des œuvres. Aucun registre correspondant à ce classement du xviiie siècle ne subsiste à Sèvres. Ces numéros anciens ont en général été barrés lors de l'inventaire de l'ensemble des collections de la Manufacture, systématiquement divisées en sections et paragraphes, dressé sous la direction d'Alexandre Brongniart en 1814 lors du premier passage de l'établissement sur la liste civile de Louis XVIII. Ces numéros d'inventaire figurent au verso des œuvres et sont parfois également reportés au recto sur de petites étiquettes qui ont pu disparaître, ne laissant subsister que les inscriptions à l'encre. Un dernier inventaire fut entrepris par Champfleury lors de la rédaction de son catalogue; les œuvres sur châssis furent numérotées de S 1 à S 299 (en incluant des pièces étrangères à l'atelier) et les études réparties en portefeuilles thématiques dont les numéros d'ordre sont matérialisés par de petites étiquettes gommées collées sur les montages ou directement sur les œuvres. Sur un certain nombre d'études, enfin, on a apposé l'un ou l'autre des cachets de la manufacture [40].

Première page de l'inventaire de l'atelier, écrit par Nicolas Desportes, Paris, Archives nationales.

40) On trouve dans l'exposition un seul exemple (n° 36) d'un cachet remontant à la Restauration, formé d'une couronne surmontant l'inscription « Sèvres »; de nombreux exemples de celui apposé sous le Second Empire, ovale et portant l'inscription : MANUFe. IMPle./DE PORCELAINE/A SEVRES; il est toujours en bleu, de même que le cachet de la Bibliothèque à partir de la Seconde République (Lugt, 1921, p. 337).

Catalogue

Le catalogue a été établi par :

Lise Duclaux
Conservateur au Cabinet des Dessins
du Musée du Louvre

Tamara Préaud
Directeur du Service d'archives
de la Manufacture nationale de Sèvres

Les auteurs du catalogue expriment leur gratitude pour leur aide dans la préparation de l'exposition et dans leurs recherches à : G. de Bellaigue, B. de Boisseson, M. Brunet, O. Cortet, C. Coural, M. Dupont, V. Exiga, J. Foucart, Gallet, M. Gallet, M. Gerbaud van Berge, K. Hiesinger, Y. Laissus, H. de Linarès, G. Mabille, J.M. Moulin, M. Pinault, C. de Quiqueran-Beaujeu, G. Reale, M. Roland-Michel, R. Savill, E. Starcky, P. Whitehead.

L'ensemble acquis par la *Manufacture de Sèvres* en 1784 témoigne de la complexité d'un atelier d'artiste et rend compte à la fois de l'œuvre de François Desportes, de sa méthode de travail et des influences qu'il a reçues. L'atelier comprend des pièces de techniques et de types divers : dessins en feuilles, esquisses à l'huile sur papier ou sur toile, parfois inachevées, peintures sur toile ou sur carton.

Le classement thématique des portefeuilles établi à Sèvres dès le XVIIIe siècle et adopté pour le présent catalogue rend compte de la plupart des aspects de l'œuvre de Desportes, mettant en relief la variété des sujets abordés par lui : animaux et chasses; paysages; plantes; pièces d'orfèvrerie et motifs d'ornementation. On n'y trouve aucun exemple de son activité de portraitiste, pourtant connue par plusieurs peintures; en revanche, l'importance de la série des esquisses de paysages constitue l'un des intérêts majeurs de l'atelier, éclairant d'un jour nouveau la personnalité du peintre.

Notre propos étant la découverte de cet atelier dans sa diversité et non la présentation monographique de l'œuvre de Desportes, nous avons exposé uniquement des pièces appartenant à la Manufacture de Sèvres, même quand elles prêtaient à discussion, sans faire appel à d'autres collections.

Parmi les tableaux achevés, en nombre relativement restreint, nous avons choisi de préférence ceux qui permettent des rapprochements avec les études.

Le fait que les dessins soient moins nombreux que les esquisses à l'huile témoigne de la personnalité d'un artiste essentiellement peintre. Les dessins constituent cependant l'ensemble le plus important que l'on puisse actuellement attribuer à Desportes avec ceux de la collection Tessin du Nationalmuseum de Stockholm [1]. Ils représentent le plus souvent des animaux et des plantes. Certaines feuilles de croquis juxtaposent des notations rapides d'attitudes diverses (n° 4 à 6); des dessins isolés relèvent soigneusement les détails d'une plante (n° 80) ou d'une fleur (n° 119); des études plus poussées d'animaux (n°ˢ 14, 38) peuvent s'accompagner de détails anatomiques; des esquisses plus élaborées servent à mettre en place une composition (n° 142). Tous sont exécutés sur le même papier, assez épais, d'une tonalité beige plus ou moins accentuée, qui est aussi celui employé pour les esquisses à l'huile. La pierre noire est rarement utilisée seule; elle est presque toujours accompagnée de sanguine, avec parfois des rehauts de craie blanche ou quelques traits de fusain. Par leur technique et leur style, ces dessins sont très proches de ceux des artistes flamands, particulièrement Pieter Boel, posant ainsi de délicats problèmes d'attributions (voir Chapitres I et III). Il convient cependant de noter dans les dessins de Desportes l'absence de pastel qui les différencie de ceux de Boel, ainsi qu'un traitement plus sommaire, visant davantage à rendre l'attitude caractéristique de l'animal que la précision des détails.

Ceci n'exclut pas le souci d'observation sincère, surtout dans la recherche des couleurs : « *Les études que Desportes a faites d'après nature*, écrit Dézallier, *sont coloriées, parce qu'il ne croyait pas moins nécessaire d'étudier la vraie couleur des objets que leur forme...* » [2]. Et, selon son fils Claude-François, « *il avoit fait autrefois beaucoup de ses études au crayon, mais réfléchissant depuis sur l'importance de joindre à l'exactitude de la forme, la justesse et la vérité de la couleur locale, il s'étoit fait une habitude de les peindre sur du papier fort qui n'étoit point huilé. Ce qu'il y peignoit était d'abord embu, et lui donnait ainsi la facilité de le retoucher et finir tout de suite avec la célérité requise en ces occasions* » [3]. Les

1) Bjurström, 1982, n° 920 à 935, repr.
2) Dezallier, 1762, p. 337.
3) Dussieux, 1854, t. II, p. 109.
4) Dussieux, 1854, t. II, p. 111.
5) Faré, 1976, p. 91.
6) Engerand, 1901, p. 613.

esquisses peintes sont, en effet, beaucoup plus nombreuses que les dessins. Desportes y étudie le volume, les effets de lumière, indiquant même parfois l'ombre portée d'un animal ou d'un objet (n°s 1, 9). Comme Chardin, il a rarement besoin de croquis préalables et préfère dessiner à la pointe du pinceau, utilisant l'huile en touches longues et souples, rapidement posées. Cette technique confère aux esquisses de paysages l'aspect moderne qui nous enchante.

Desportes travaillait le plus souvent d'après nature, ainsi que nous l'apprend Claude-François : « Malgré le grand nombre d'études qu'il avait faites et dont il ne se servoit guère qu'au défaut du naturel, il consultait sans cesse en toute occasion la nature » [4]. *Ceci semblerait donner la possibilité de dater facilement les différentes études en les rapprochant des tableaux, souvent datés, où elles sont intégrées. Cependant, comme le notent justement M. et F. Faré : « Ces études ne sont pas des essais, mais des fragments achevés, définitifs, qui attendent le moment d'être ajustés ensemble »* [5]. *On retrouve effectivement dans de nombreuses peintures de dates différentes des répliques d'attitudes d'animaux, de plantes, d'objets, de fleurs; ainsi, les jattes de porcelaine (n° 138) réapparaissent à plusieurs reprises; de même, on trouve des orangers en fleurs à la fois dans la tenture des* Nouvelles Indes *et dans plusieurs compositions décoratives; des animaux, des oiseaux figurent aussi bien dans les tableaux de chasses que dans des projets de feuilles de paravents (n°s 121 à 127). Ces études peuvent avoir à l'origine été préparées d'après nature en vue d'un tableau précis, puis conservées et réutilisées ensuite dans des compositions diverses. Souvent aussi, on a l'impression que l'artiste a repris des motifs de ses propres peintures, pour en conserver le souvenir, formant ainsi une sorte de répertoire où il trouvait les éléments de nouveaux ensembles. Cette méthode rend donc impossible une datation précise d'un dessin ou d'une esquisse par référence aux œuvres datées.*

L'inventaire dressé par Nicolas Desportes, neveu de l'artiste, semblait attribuer toutes les œuvres de l'atelier à son oncle; il mentionne cependant « ... 52 toilles roullées dont quelques-unes de Seneidre, Nicasius... » [6]. *L'inventaire établi sous la direction de J.-B.-M. Pierre ne le contredit pas sur ce point. On a effectivement pu attribuer certaines pièces, en particulier des peintures achevées, à des maîtres flamands, ceux, précisément, dont on connaît l'influence sur Desportes : Nicasius Bernaerts, Jan Fyt, Pieter Boel, Paul de Vos, tous disciples de Frans Snyders. Il est possible qu'il y ait également dans l'atelier des esquisses ou dessins de ces mêmes artistes flamands. D'autre part, il est vraisemblable que, travaillant dans le même atelier, Claude-François et Nicolas Desportes y aient laissé quelques-unes de leurs œuvres; d'autant plus que l'on sait qu'ils ont exécuté des copies d'après des peintures de François (Sèvres, S 217), ce qui ne fait qu'accroître les confusions et difficultés d'attributions. La sélection établie ici vise à donner un aperçu de l'importance et de la complexité de l'atelier. On ne pourra se prononcer sur l'attribution des œuvres diverses qui le composent et se former une juste opinion sur la personnalité d'un peintre encore mal connu qu'au moment où sera publié le catalogue raisonné que prépare depuis plusieurs années Georges de Lastic.*

I
Animaux et chasses

1 à 44

Les études d'animaux, dessinées ou peintes, forment l'une des parties essentielles du fonds de l'atelier et peuvent être classées en deux séries. La plus importante concerne les animaux chasseurs et le gibier. Parmi les premiers, la place principale est occupée par les chiens de races diverses (braques, lévriers, épagneuls ou griffons) et les oiseaux de proie (faucons, aigles ou busards). Les cervidés (cerfs, biches, chevreuils) sont le gibier le plus souvent représenté, mais on trouve également sangliers, faisans et perdrix, et, en moins grand nombre, renards, loups, lièvres, lapins et canards sauvages.

La prédominance des animaux en liaison avec le thème de la chasse s'explique parfaitement par la carrière de Desportes. Peintre animalier suffisamment connu dès 1696 pour être remarqué par Louis XIV, il fut nommé peintre attitré des chasses et de la meute du Roi, comme Frans van der Meulen l'avait été des campagnes royales. Cette nomination ne put que confirmer l'artiste dans la voie qu'il avait choisie de préférence à la peinture de portraits; elle l'amena à développer ses dons et sa prédilection pour la représentation des animaux.

Desportes reçut d'importantes commandes de tableaux de chasses et d'animaux non seulement pour Louis XIV puis pour Louis XV, tous deux chasseurs passionnés, mais aussi pour les princes et les riches particuliers. La première commande royale fut, en 1700, une suite de cinq tableaux de chasses pour la Ménagerie de Versailles. Les commandes se succédèrent ensuite : pour Marly en 1702, Meudon en 1702, 1709 et 1714, le Palais-Royal et le château de la Muette en 1717, Chantilly en 1719, Versailles en 1729 et Compiègne en 1738; la mort ne lui permit pas

d'achever une dernière commande pour Choisy en 1742.

Ces nombreuses peintures d'animaux, outre les célèbres *Portraits des chiens des meutes royales* (Musée du Louvre; dépôts au Musée de la Chasse et de la Nature, Paris), comprennent de grandes chasses dans des paysages, des compositions avec chiens gardant du gibier dans des paysages ou des intérieurs, ainsi que des natures mortes, des décorations comme celles qu'il réalisait avec Claude Audran, et des cartons de tapisseries pour les Manufactures de la Savonnerie et des Gobelins. Les Manufactures faisaient appel à Desportes pour peindre les animaux, comme à Belin de Fontenay ou Monnoyer pour les fleurs, à Audran ou Perrot pour les ornements; l'une des plus célèbres commandes pour les Gobelins fut, en 1735, celle de la tenture des *Nouvelles Indes* dont les animaux sont l'un des thèmes (voir Chapitre III).

La deuxième série d'études, comprenant des animaux moins souvent représentés dans les peintures, est un témoignage de l'intérêt de Desportes pour le monde animal sous tous ses aspects : animaux domestiques et familiers observés dans les fermes et les champs (chats, moutons ou béliers, vaches et taureaux, chèvres, ânes et chevaux très peu nombreux, fait assez étonnant), animaux sauvages des bois (écureuils, belettes, grenouilles), reptiles (serpents ou lézards) insectes (en particulier papillons), et enfin oiseaux souvent utilisés dans les compositions décoratives, mêlés aux plantes et aux fleurs (piverts, chauves-souris, chouettes, hiboux, huppes, loriots, mouettes).

Parmi ces études, dessins ou esquisses à l'huile, il n'est pas toujours facile de distinguer celles qui ont été prises sur le vif. Desportes pouvait travailler d'après nature au cours des chasses où il accompagnait le Roi : «Il alloit même d'ordinaire à la chasse à ses côtés, écrivait Claude-François, avec un petit portefeuille pour dessiner sur les lieux leurs (des chiens) diverses attitudes, entre lesquelles le roi choisissoit, et toujours avec goût, celles qu'il préféroit aux autres. Ce grand roi prenoit souvent plaisir à le voir travailler, et ne le voyoit jamais à sa cour, où il alloit rarement, sans lui adresser quelque discours obligeant » [1]. Il a pu également étudier les animaux lors de promenades dans la campagne ou dans les forêts, promenades au cours desquelles il dessinait aussi des plantes et d'étonnantes esquisses de paysages (voir Chapitre II). On sait aussi qu'il a travaillé dans les réserves du parc de Versailles où logeaient cerfs, biches et daims, dans les faisanderies abritant faisans et perdrix et surtout dans les chenils, à la Ménagerie et même dans les foires. Claude-François a souligné les difficultés de cette étude : «Combien M. Desportes a-t-il travaillé d'après la nature, au chenil du roi et des princes, au milieu des valets de la vénerie, gens très peu curieux de peinture et dont on achète difficilement la complaisance ? Combien a-t-il travaillé à la ménagerie de Versailles et aux foires de Paris, pour peindre des lions, des tigres ou d'autres animaux féroces, dans des loges incommodes et mal éclairées ? » [2]. Aux foires de Saint-Germain ou de Saint-Laurent, on pouvait voir toutes sortes d'animaux que présentaient des montreurs (voir Chapitre III) : une étude de loup de l'atelier (Sèvres, S 109) porte une annotation de Nicolas Desportes «peint foire de Saint-Laurent». Enfin, on peut aussi penser que Desportes avait accès à des collections d'histoire naturelle, alors très en vogue, et que certaines études, en particulier de reptiles ou d'insectes, ont pu être réalisées d'après des modèles naturalisés.

Bien davantage que les grands tableaux, ces études révèlent la compréhension du mouvement et de l'attitude caractéristiques de la personnalité de l'animal. Desportes insiste particulièrement sur les détails colorés, les effets de lumière. Il différencie le plumage ou le pelage, soit par l'emploi de sanguine et de craie blanche complétant la pierre noire, soit au pinceau plus ou moins chargé d'huile. Certains dessins d'animaux portent de subtiles indications d'ombres portées, preuves d'une recherche poussant le réalisme jusqu'au trompe-l'œil.

Cette recherche de la véracité dans le « portrait » animalier témoigne de l'influence flamande; il convient de souligner l'importance de celle-ci dans la formation de Desportes en tant que peintre animalier. Elle a été signalée déjà par Mariette : «L'on reconnaît dans son maniement de pinceau le faire du célèbre Sneydre. Sans en estres le disciple, M. Desportes pouvoit être agrégé à son école » [3]. Son maître Nicasius avait effectivement été l'élève de Frans Snyders, tout comme Jan Fyt et Pieter Boel, qui tous deux résidèrent à Paris. Desportes a donc pu étudier leurs œuvres, particulièrement celles de Pieter Boel; celui-ci avait été appelé par Le Brun en 1664 aux Gobelins où il travailla jusqu'à sa mort, spécialisé dans la représentation des animaux comme Nicasius. Le Louvre conserve un très important ensemble de dessins et peintures de P. Boel, provenant des collections royales, qu'il est particulièrement intéressant de comparer avec les études de l'atelier [4]. Desportes a certainement été en relation avec le groupe des artistes flamands installés à Paris dont faisait partie Nicasius et qui a exercé une forte influence sur le développement de la peinture d'animaux, de natures mortes et de paysage à la fin du XVIIᵉ siècle. L'atelier compte d'ailleurs plusieurs pièces figurant sous le nom de Desportes dans les inventaires du XVIIIᵉ siècle, mais qu'on a pu attribuer à des artistes flamands, tels *Le Combat de chats* attribué à Nicasius (Sèvres, S 223), *Les Chiens gardant du gibier,* attribué à Jan Fyt (Sèvres, S 11) ou les deux esquisses de chasses attribuées à Paul de Vos (Sèvres, I.75 et I.76; Exp. Paris, Grand-Palais, 1977-1978, *Le Siècle de Rubens,* nᵒ 121, repr.).

La même influence rend compte de la confusion qui s'établit parfois entre les dessins de Desportes et ceux d'artistes flamands : la question se pose pour certaines pièces de l'atelier, particulièrement à propos des représentations d'animaux. Inversement, on a pu mettre sous le nom de Desportes des dessins d'animaux qui sont des œuvres flamandes : tel est le cas d'un groupe de dessins du Louvre (Inventaire RF 10712 à RF 10742) dont l'attribution récente à Pieter

1) Dussieux, 1854, p. 104.
2) *Ibidem*, p. 109.
3) *Abecedario*, p. 98.
4) Lugt, 1949, I, nᵒˢ 17 à 228; Brejon-Foucart-Reynaud, 1979, p. 27 à 29.

Boel semble justifiée par comparaison avec la série déjà citée.

A côté des études d'animaux d'après nature, l'atelier comprend des répliques destinées à fixer le souvenir de tel élément d'un tableau. Celles-ci avaient certainement pour Desportes une aussi grande valeur documentaire et utilitaire que les études d'après nature. Cependant, on peut se demander si elles sont toutes de sa main et la difficulté d'en décider est caractéristique de la complexité et de la variété des œuvres conservées dans un atelier d'artiste. Croire que l'impression de spontanéité qui se dégage de certaines études peintes ou dessinées résulte de l'observation directe de la nature serait pourtant méconnaître le talent de Desportes qui avait un don exceptionnel pour créer l'illusion du naturel. Pratiquement seul alors à peindre et dessiner en plein air, il n'en demeura pas moins un homme de son temps, travaillant d'après des études accumulées dans des portefeuilles que venaient parfois consulter les princes dont il était le peintre préféré : le duc d'Orléans « étoit venu plusieurs fois chez M. Desportes dont il s'étoit

fait un plaisir d'examiner les portefeuilles; il avait eu souvent recours à ses études, dans les occasions difficiles, à sa main même, pour peindre ou retoucher les animaux... » [5].

Le succès de Desportes comme peintre animalier répond parfaitement au goût de ses contemporains; on sait l'intérêt manifesté pour la nature, la flore et la faune au cours du XVIIᵉ siècle et au début du XVIIIᵉ siècle; d'où le succès de ces publications, certainement connues de Desportes : planches gravées, albums de gouaches ou d'aquarelles représentant animaux, oiseaux ou insectes et surtout, les célèbres Vélins peints pour Louis XIV par Nicolas Robert, Jean Joubert ou Claude Aubriet. Mais le propos de Desportes est tout autre, et il convient de noter que, même s'il travaille d'après nature et s'efforce à l'observation minutieuse, il est toujours également sensible aux possibilités décoratives que comporte son sujet. Essentiellement peintre, et précédant en ce sens Oudry, son choix des mouvements, des attitudes, est dicté autant par la nécessité des compositions picturales, que par le caractère typique de tel animal.

5) Dussieux, 1854, p. 106.

1

Deux études inversées de lévriers

Huile sur papier beige. H. 0,610; L. 0,510.
En haut, au centre, à la plume et encre brune : N° 42 (barré), et à droite : 145 (barré). Collé en plein.
Sèvres, I. 45 (F § 6. 1814. n° 91).

L'attitude des chiens représentés ici a souvent été utilisée par Desportes : dans des portraits de chasseurs, notamment dans son Autoportrait de 1699 (Musée du Louvre; Rosenberg-Reynaud-Compin, 1974, n° 207, repr.); dans des compositions avec des lévriers gardant du gibier, telles celles du Musée du Louvre de 1709 (dépôt au Musée de la Chasse et de la Nature, Paris; voir n° 21) ou de 1726 (dépôt au Musée de la Vénerie à Senlis; Lastic, 1961, p. 63, fig. 14) ou encore celle du Musée des Beaux-Arts de Strasbourg, de 1727 (Revue du Louvre, 1979, 5-6, p. 450-451, repr.).

2

Lévrier bondissant

Pierre noire et sanguine, avec rehauts de blanc, sur papier beige. H. 0,230; L. 0,375.
Sèvres, I. 43 (F § 6. 1814. n° 133).

Chien des meutes royales. D'autres études de lévriers sont conservées à Sèvres : dessins aux trois crayons, comme celui-ci et le numéro suivant (Sèvres, I. 42 et 44), ou esquisses à l'huile, comme celle du n° 1 (Sèvres, I. 41, S 68).

3

Deux études de lévrier couché

Pierre noire et sanguine, avec rehauts de blanc, sur papier beige. H. 0,235; L. 0,420.
Au verso, chien couché, et deux études de

tête de chien, de face et de profil, à la pierre noire et sanguine, avec rehauts de blanc.
Sèvres, I. 30 (F § 6. 1814. n° 118).
Exp. : Gien, 1961, n° 29.

4

Feuille d'études de chiens

En haut, à gauche, animal paissant : mouton ou biche (?).

Pierre noire et sanguine, sur papier beige. H. 0,275; L. 0,430.
Au verso, trois études de chiens couchés, à la pierre noire et sanguine, avec rehauts de blanc.
Sèvres, I.31 (F § 6. 1814. n° 122).
Exp. : Gien, 1961, n° 2.

Chiens de meute des chenils du Roi dont il existe de nombreuses études de même technique à Sèvres (voir n°ˢ suivants) et dans la collection Tessin au Nationalmuseum de Stockholm (Bjurström, 1982, n°ˢ 920 à 931, repr.).

5

Feuille d'études de chiens

Pierre noire et sanguine, avec rehauts de blanc, sur papier beige. H. 0,325; L. 0,425. Collé en plein.
Sèvres, I. 32 (F § 6. 1814. n° 111).
Exp. : Gien, 1961, n° 31.

6

Chiens de meute

Pierre noire et sanguine, avec rehauts de blanc, sur papier beige. H. 0,235; L. 0,390. Collé en plein.
Sèvres, I.27 (F § 6. 1814. n° 131).
Exp. : Paris, 1947, n° 178; Gien, 1961, n° 30.

7

Chien braque assis

Pierre noire avec rehauts de blanc, sur papier beige. H. 0,145; L. 0,230.
Au verso, chien couché, de profil à droite, à la pierre noire avec rehauts de blanc.
Sèvres, I.15 (F § 6. 1814. n° 105).
Exp. : Gien, 1961, n° 42.

Croquis pris sur le vif, d'après un chien très semblable à celui de l'esquisse du n° 9 (voir aussi n° suivant).

8

Chien braque assis

Pierre noire avec rehauts de blanc, sur papier beige. H. 0,140; L. 0,160.
Au verso : chien marchant, de profil à gauche, à la pierre noire avec rehauts de blanc.
Sèvres, I. 15 (F § 6. 1814. n° 105).
Exp. : Gien, 1961, n° 41.

9

Deux études de chien blanc en arrêt

Huile sur papier. H. 0,220; L. 0,200. Collé en plein.
Sèvres, I.4 (Fp § 2. 1814. n° 92).

Fixant diverses attitudes d'un chien braque en arrêt, cette esquisse et une deuxième non exposée (Sèvres, I. 5) complètent les croquis à la pierre noire, avant les esquisses d'une composition d'ensemble (voir n°s 10 à 12).

10

Chien braque blanc en arrêt dans un paysage

Huile sur papier beige. H. 0,265; L. 0,220. Collé en plein.
Sèvres, I. 77 (F § 6. 1814. n° 120). Dépôt au Musée de la Chasse et de la Nature, Paris.

L'une des esquisses préparatoires pour les commandes de Louis XIV pour Marly en 1702. Les chiennes Tane et Bonne figurent dans les peintures avec des attitudes très semblables (Musée du Louvre; dépôt au Musée de la Chasse et de la Nature, Paris).

11

Chien braque en arrêt sur un faisan

Huile sur papier. H. 0,320; L. 0,420. Collé en plein sur toile.
Sèvres, S 92 (Fp § 2. 1814. n° 149). Dépôt au Musée de la Chasse, Gien.

Montrant, avec une composition différente, où le paysage occupe plus de place, un autre chien que celui de l'étude précédente (n° 10), cette esquisse marque une étape plus achevée, dont il existe une autre variante dans l'atelier (Sèvres, S 120).

12

Chien braque en arrêt sur un faisan

Huile sur toile. H. 1,040; L. 1,370.
Sèvres, S 222 (Fp § 2.1814. n° 154).
Bibl. : Champfleury, 1891, p. 11; Engerand, 1901, p. 612.
Exp. : Bordeaux, 1958, n° 95; Compiègne, 1961, n° 68.

Mentionné dans l'inventaire de Nicolas Desportes, ce portrait de chien, resté à l'atelier du peintre, est comparable à ceux commandés par le Roi pour Marly en 1714 (Musée du Louvre; dépôts au Musée de la Chasse et de la Nature, Paris). Desportes reprend souvent cette belle attitude du braque que l'on retrouve dans les peintures plus tardives comme le *Chien gardant du gibier* de 1724

(Musée du Louvre; Rosenberg-Reynaud-Compin, 1974, n° 212, repr.). Dans le paysage servant de décor on peut noter divers éléments à rapprocher des études d'après nature exposées ici, plantes et arbres (n°s 62, 79, 81).
Le pendant de cette peinture, l'*Épagneul en arrêt* (Sèvres, S 221) dont une étude est exposée ici (n° 13) fait également partie de l'atelier.

13

Épagneul en arrêt

Au premier plan, croquis de plantes.

Pierre noire et sanguine, avec rehauts de blanc, sur papier beige. H. 0,355; L. 0,515. Doublé.
Sèvres, I. 50 (F § 6. 1814. n° 132).
Exp. : Besançon, 1957, n° S 105, pl. XXV; Gien, 1961, n° 45, repr.

Dessin à rapprocher d'une esquisse (Sèvres, S 62) et d'une peinture de l'atelier, l'*Epagneul en arrêt sur une perdrix* (Sèvres, S 221; Engerand, 1901, p. 612), pendant du n° 12. Pour le tableau, l'artiste a sans doute également utilisé l'une de ses études de perdrix (n° 34).

14

Épagneul aboyant

A droite, étude de la tête.

Pierre noire et sanguine, avec rehauts de blanc, sur papier beige. H. 0,270; L. 0,420.
Sèvres, I. 21 (F § 6. 1814. n° 194).
Exp. : Gien, 1961, n° 38, repr.

L'étude de la tête est reprise dans une autre feuille (Sèvres, I. 20). Plusieurs dessins de Desportes représentant des épagneuls font partie de la collection Tessin (Nationalmuseum de Stockholm; Bjurström, 1982, n° 927 à 930, repr.).

15

Petit épagneul couché

Vu de dos, il a la tête tournée à gauche.

Pierre noire et sanguine, avec rehauts de blanc, sur papier beige. H. 0,300; L. 0,375. Doublé.
Sèvres, I. 46 (F § 6. 1814. n° 110).
Exp. : Gien, 1961, n° 46.

16
Chien griffon

Huile sur papier beige. H. 0,255; L. 0,270. Collé en plein.
Sèvres, I. 12 (F § 2. 1814. n° 100).

Un dessin de Desportes, provenant de la collection Tessin, représente le même chien (Nationalmuseum de Stockholm; Bjurström, 1982, n° 920, repr.).

17
Chien braque renversé sur le dos

Pierre noire et sanguine, avec rehauts de blanc, sur papier beige. H. 0,330; L. 0,520.
Sèvres, I. 52 (F § 6. 1814. n° 123).
Exp. : Paris, 1947, n° 178; Bruxelles-Rotterdam-Paris, 1949-1950, n° 49; Gien, 1961, n° 27.

L'attitude de ce chien de meute, blessé et hurlant, se retrouve dans plusieurs compositions de chasses, telle l'esquisse de *La Chasse au sanglier* exposée au n° 20. Elle est très directement inspirée des modèles flamands; deux études du même chien (Sèvres, I. 53 et S 102) témoignent des recherches de Desportes.

18
Chien sautant

Pierre noire et sanguine, avec rehauts de blanc, sur papier beige. H. 0,400; L. 0,475. Collé en plein.
Sèvres, I. 51 (F § 6. 1814. n° 124).
Exp. : Berne, 1959, n° 122; Gien, 1961, n° 40, repr.

Ce chien de meute est très souvent représenté par Desportes, soit sautant sur un arbre, comme dans *La Chasse au sanglier* (n° 20), soit mordant l'animal forcé, comme dans *La Chasse au cerf* de 1719 (Musée de la Vénerie, Senlis; Lastic, 1978, p. 24, fig. 5), et même très tardivement dans *La Chasse au cerf* de

1742, pour le château de Choisy (Musée des Beaux-Arts de Grenoble; Lastic, 1961, p. 64, repr.).

19
Chien hurlant

Il est dressé sur ses pattes arrière.

Huile sur papier. H. 0,480; L. 0,315. En bas à droite, à la plume et encre brune : *13*. Le dessin est coupé par le montage à droite et à gauche.
Sèvres, I. 26 (F § 6. 1814. n° 137). Dépôt au Musée de la Vénerie, Senlis.

Le chien figure à droite dans *La Chasse au sanglier* dont l'esquisse est exposée au n° 20.

20
Chasse au sanglier

Huile sur papier. H. 0,370; L. 0,300. Collé en plein. Verni.
Sèvres, S 180 (Fp § 2. 1814. n° 193). Dépôt au Musée de la Chasse, Gien.
Exp. : Beauvais, 1920, n° 140.

Esquisse de même composition qu'une peinture de Desportes conservée au château de Grosbois avec son pendant : *La Chasse au cerf*. Les deux peintures ont été commandées en 1724 pour le château de Chantilly (Lastic, 1977, p. 294, fig. 6). Il en existe plusieurs répliques, et une copie, attribuée à Nicolas Desportes, fait partie de l'atelier (Sèvres, S 193). *La Chasse au sanglier* a également servi de modèle à une plaque de porcelaine, peinte en 1793 par C. A. Didier (voir p. 00). L'influence flamande, et plus particulièrement celle de Snyders, est évidente. Pour cette composition, Desportes a utilisé plusieurs études témoignant de la même influence : chiens (n° 17 à 19), sanglier (n° 32).

21
Chiens gardant du gibier

A droite, accessoires de chasse : fusil et poire à poudre.

Huile sur papier. H. 0,275; L. 0,390.
Sèvres, I. 80 (Fp § 2. 1814. n° 112). Dépôt au Musée de la Chasse et de la Nature, Paris.

Esquisse préparatoire pour l'un des

dessus-de-porte représentant des *Chiens gardant du gibier* commandés par le Grand Dauphin pour la salle des gardes de Meudon en 1709 (Lastic, 1978, p. 23, fig. 3). La présente étude comporte des variantes par rapport au tableau; la principale concerne le chien de gauche. La peinture et son pendant (citées au n° 1) sont présentées, avec notre esquisse, au Musée de la Chasse et de la Nature à Paris (dépôts du Musée du Louvre). C'est l'un des sujets favoris de Desportes réunissant les portraits de chiens, le paysage et les natures-mortes de gibier. Le thème est parfois repris dans des compositions où le décor joue un rôle plus important (voir n° 145).

22
Accessoires de chasse

Gibecière, avec couteau de chasse, sac à plombs, poire à poudre.

Huile sur papier beige. H. 0,320; L. 0,200. Collé en plein.
Sèvres, S 273 (Mp § 5. 1814. n° 44). Dépôt au Musée de la Chasse et de la Nature, Paris.

La mise en page et le traitement raffinés de cette étude de détails lui confèrent l'aspect d'une nature morte achevée. Ces divers accessoires se retrouvent dans la plupart des compositions de chasses de Desportes.

23
Patte de chien

Huile sur papier beige. H. 0,080; L. 0,185. Collé en plein sur carton. Verni.
Sèvres, I. 89 (F § 6. 1814. n° 125).

Étude de détail traitée dans le même esprit que l'étude n° 22.

24
Faucon

La tête tournée à droite, il porte aux pattes les jets et les grelots.

Huile sur papier beige. H. 0,475; L. 0,240. Collé en plein. Partiellement verni.
Sèvres, S 86 (Fp § 2. 1814. n° 189). Dépôt au Musée de la Chasse, Gien.

Bibl. : Sarradin, 1929, p. 25, repr. p. 22.
Exp. : Beauvais, 1920, n° 20; Dusseldorf, 1954, n° 6.

Ce faucon et celui de l'étude n° 25 sont pris sur le vif, ainsi que l'indiquent les détails précis de l'équipement de chasse — chaperon, jets, grelots — et le traitement floconneux du plumage tacheté.

Ces esquisses, comme le numéro 26, ont dû être exécutées d'après des oiseaux des volières royales. Desportes utilisait ensuite ces études comme motifs décoratifs, dans des projets de feuilles de paravents (n°s 124, 126) ou des compositions de chasses, en reprenant souvent les mêmes attitudes.

25
Faucon chaperonné

Vu de dos.

Huile sur papier beige. H. 0,495; L. 0,175. Collé en plein. Partiellement verni.
Sèvres, S 83 (Fp § 2. 1814. n° 90). Dépôt au Musée de la Chasse, Gien.
Exp. : Beauvais, 1920, n° 50; Dusseldorf, 1954, n° 5.

26
Busard en vol

Huile sur papier beige. H. 0,520; L. 0,520. Collé en plein.
Sèvres, S. 215 (Fp § 2. 1814. n° 70). Dépôt au Musée de la Chasse et de la Nature, Paris.

27
Faon bondissant

A droite, études de deux pattes du faon, et de deux arrière-trains de chiens.

Pierre noire et sanguine, avec rehauts de blanc, sur papier beige. H. 0,265; L. 0,415. Annoté, en bas, de la main de l'artiste, à la pierre noire : *la teste est le col un peu plus grands.*
Sèvres, I. 91 (F § 6. 1814. n° 148).
Exp. : Gien, 1961, n° 7.

Dessin sans doute exécuté à la Ménagerie du Roi, comme les suivants (n°s 28 et 29) et d'autres études de même sujet (Sèvres I. 92 et 93, 105, 148, S 79). L'inscription prouve l'attention particulière portée à la précision des détails,

mais donne aussi une indication pour l'utilisation du motif.

28
Cerf couché

Pierre noire et sanguine, avec rehauts de blanc, sur papier beige. H. 0,260; L. 0,425. Annoté en haut de la main de Nicolas Desportes, à la pierre noire : *Tournés.*
Au verso : étude du corps d'un cerf, debout de profil à gauche, à la pierre noire et sanguine, avec rehauts de blanc.
Sèvres, I. 101 (F § 6. 1814. n° 152).
Exp. : Gien, 1961, n° 8.

Le dessin est très proche d'une esquisse à l'huile de l'atelier représentant un cerf couché (Sèvres, I. 148), et d'une peinture attribuée à P. Boel (Musée du Louvre; dépôt au Musée d'Agen).

29
Deux études de cerf couché

Pierre noire et sanguine, sur papier beige. H. 0,270; L. 0,435. Collé en plein.
Sèvres, I. 146 (F § 6. 1814. n° 147).

30
Deux têtes de cerf

A droite, bois de cerf.

Huile sur papier beige. H. 0,240; L. 0,530. En haut, à droite, à la plume et encre brune : *107.* Collé en plein.
Sèvres, I. 99 (F § 6. 1814. n° 156). Dépôt au Musée de la Chasse et de la Nature, Paris.

Trois autres études de têtes de cerf font partie de l'atelier (Sèvres, I. 98 et 100, S 70). La mise en page témoigne de l'habileté du peintre, sans parti-pris décoratif comme dans les grandes peintures, et sans exclure la vérité de la représentation des animaux.

31
Massacre de cerf

Pierre noire et sanguine, avec rehauts de blanc, sur papier beige. H. 0,240; L. 0,375. Collé en plein.
Sèvres, I. 97 (F § 6. 1814. n° 146).
Exp. : Gien, 1961, n° 13.

Il existe à l'atelier une deuxième étude de massacre de cerf, qui est une esquisse à l'huile (Sèvres, I. 149) traitée comme ici avec des variantes, en objet isolé prenant l'aspect d'une nature morte.

32
Sanglier

Pierre noire et sanguine, avec rehauts de blanc, sur papier beige. H. 0,370; L. 0,360. Sèvres, I. 87 (F § 6. 1814. n° 191).
Exp. : Gien, 1961, n° 4.

Desportes a pu observer des sangliers au cours de chasses ou à la Ménagerie de Versailles. Mais ce dessin peut aussi avoir été exécuté d'après un animal mort, placé sur un support, comme le suggèrent la courbure accentuée du dos et l'indication sommaire de la patte arrière droite. Le peintre a souvent utilisé cette attitude de l'animal; on la retrouve, par exemple, dans l'esquisse exposée au n° 20.

33
Sanglier mort

Huile sur papier beige. H. 0,340; L. 0,655. Collé en plein.
Sèvres, S 87 (Fp § 2. 1814. n° 76). Dépôt au Musée de la Chasse et de la Nature, Paris.
Exp. : Beauvais, 1920, n° 46; Charleville, 1952; Dusseldorf, 1954, n° 3.

34
Perdrix rouge

Marchant de profil à gauche.

Huile sur papier beige. H. 0,230; L. 0,330. En bas, à gauche, traces d'annotations effacées, de la main de l'artiste, à la pierre noire; annoté de la main de Nicolas Desportes, à la plume et encre brune : *Perdrix rouge.*
Sèvres, II. 29 (Fp § 2. 1814. n° 91). Dépôt au Musée de la Chasse et de la Nature, Paris.

La perdrix et le faisan sont les oiseaux le plus souvent représentés par Desportes dans les « portraits » des chiens du Roi.

35
Chat renversé sur le dos

Au premier plan, trois côtelettes.

Huile sur papier beige. H. 0,490; L. 0,610. En haut, à gauche, à la plume et encre brune, inscription inversée : *n^ro 65, 65* (repris sur *124*); à droite : *n^r* (coupé pour le montage). Collé en plein.
Sèvres, I. 61 (F § 6. 1814. n° 142).
Bibl. : Champfleury, 1891, p. 11.
Exp. : Paris, 1947, n° 174.

Cette étude où l'animal est en position de défense est certainement à rapprocher d'une peinture de Desportes exposée au Salon de 1742 (p. 13, n° 46) : « Un chien qui combat contre une chatte renversée sur ses petits qui ont sous eux et à l'entour quelques débris d'une table dont la chatte a entraîné la nappe et une partie de ce qui était dessus... ». Ce sujet, *Combat de chien et de chat,* avec une composition différente, est traité dans une peinture attribuée à Nicasius Bernaerts (Musée de Dijon; Mullenmeister, 1981, p. 114, n° 589, repr.). Une autre peinture attribuée à Nicasius et faisant partie de l'atelier (Sèvres, S 223) représente un *Combat de chats.* Plusieurs études de chats, esquisses ou dessins (voir n° suivant) sont conservées à Sèvres; en moins grand nombre que les études de chiens, elles se rattachent plutôt aux chats aux aguets qui apparaissent souvent dans les tableaux de Desportes.
Il faut noter que Nicolas Desportes a repris plus tard le thème *Chien et chat causant du désordre dans une cuisine* (Faré, 1962, p. 159).

36
Chat couché

Pierre noire et sanguine, avec rehauts de blanc, sur papier beige. H. 0,200; L. 0,415.
Sèvres, I.57 (F § 6. 1814. n° 141).
Exp. : Gien, 1961, n° 9.

37
Taureau

A droite, étude de la croupe.

Huile sur papier beige. H. 0,280; L. 0,460. En bas, à droite, à la plume et encre brune : *114.* Collé en plein. Partiellement verni.
Sèvres, I. 68 (F § 6. 1814. n° 163).

38
Ours marchant et ours couché

A droite et à gauche, deux croquis du corps d'un animal.

Pierre noire et sanguine, avec rehauts de blanc, sur papier beige. H. 0,255; L. 0,415. Collé en plein.
Sèvres, I. 117 (F § 6. 1814. n° 167).
Exp. : Berne, 1959, n° 121; Gien, 1961, n° 20.

Dessin certainement exécuté à la Ménagerie de Versailles ou dans une foire, où les spectacles de montreurs d'ours étaient fréquents. Plusieurs études d'ours font partie de l'atelier : esquisses à l'huile (Sèvres, I. 127, S 128) et dessins (Sèvres, I. 114, I. 116).

39
Lézard vert

Huile sur papier beige. H. 0,075; L. 0,260. Collé en plein.
Sèvres, I. 142 (Fp § 2. 1814. n° 152).

On peut penser que cette esquisse et la suivante, où le lézard se trouve sur le dos, ont été exécutées d'après un animal naturalisé. Un lézard figure également dans le carton des *Anciennes Indes,* repris dans le carton correspondant des *Nouvelles Indes : Le Chasseur Indien.*

40
Lézard vert sur le dos

Huile sur papier beige. H. 0,075; L. 0,290. Collé en plein sur carton. Verni.
Sèvres, I. 143 (F § 6. 1814. n° 78).

41
Trois études de serpent

Huile sur papier beige. H. 0,200; L. 0,435. En haut, à droite, à la plume et encre brune : *142* (en partie effacé). Collé en plein.
Sèvres, II. 45 (Fp § 2. 1814. n° 45).

Des serpents sont représentés dans plusieurs tapisseries des *Anciennes* et des *Nouvelles Indes : La Négresse portée, L'Éléphant,* mais aucun ne correspond

exactement à celui-ci. Desportes a pu étudier des reptiles à la Ménagerie.

42
Cinq piverts

Huile sur papier beige. H. 0,300; L. 0,510. En bas, à gauche, traces d'annotations effacées, de la main de l'artiste, à la pierre noire; de la main de Nicolas Desportes, à la plume et encre brune : *Pie Verte;* en haut, à droite, à la plume et encre brune : *131.* Collé en plein. Verni.
Sèvres, II. 22 (Fp § 2. 1814. n° 81).

43
Aile d'oiseau

Huile sur papier beige. H. 0,100; L. 0,205. A droite, à la plume et encre brune : *89* (barré). Collé en plein. Verni.
Sèvres, II. 16 (F § 6. 1814. n° 41).

Desportes a représenté une deuxième fois le détail d'une aile dans une feuille d'étude d'oiseaux (Sèvres, II. 40). Le sujet, rarement traité au XVIIIᵉ siècle, se retrouve dans une esquisse conservée au Cabinet des dessins du Louvre (Inv. 35103), portant une ancienne attribution à Desportes, mais d'une facture différente de celle exposée ici; elle a été publiée par P. Rosenberg sous le nom de Nicolas Vleughels (Rosenberg, 1973, p. 144, fig. 19).

44
Papillons

Huile sur papier celle beige. H. 0,230; L. 0,305. En haut, à droite, à la plume et encre brune : *15.* Collé en plein.
Sèvres, II. 48 (F § 6. 1814. n° 83).

Cette planche de dix-sept papillons a pu être réalisée d'après des insectes naturalisés, des planches de dessins aquarellés ou gouachés, ou d'après des planches de gravures, dont il existait de nombreux exemples dans les collections d'histoire naturelle. Elle servait de répertoire pour des compositions décoratives et des natures mortes, où figurent souvent des papillons.

1

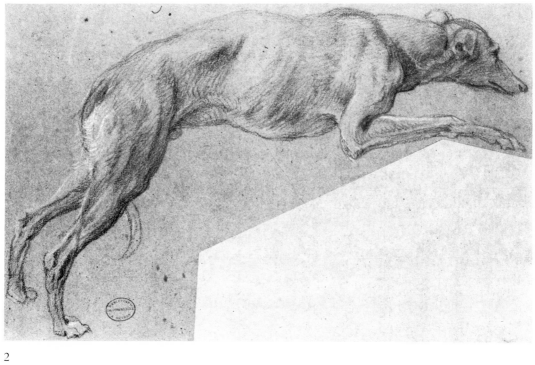

2

3

4

5

7

8

6

4

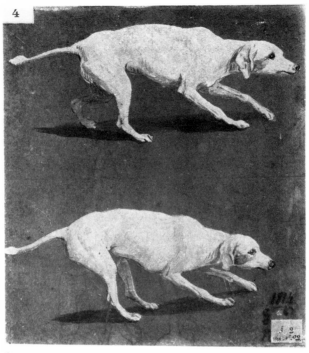

9

11

10

12

13

14

15

16

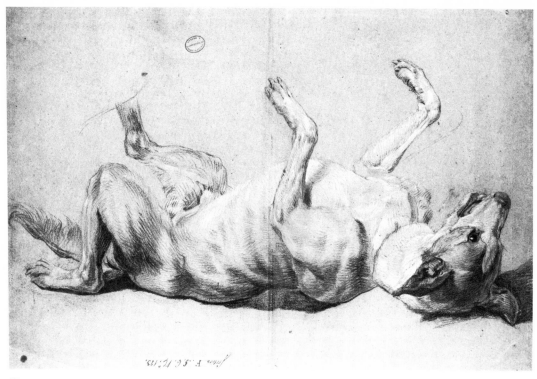

17

18

19

20

21

22

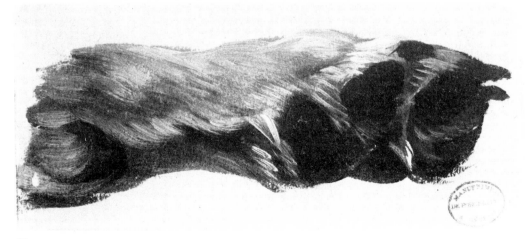

23

24

25

6

Animaux et chasses   47*Animaux et chasses*   47

27

28

29

30

31

32

33

34

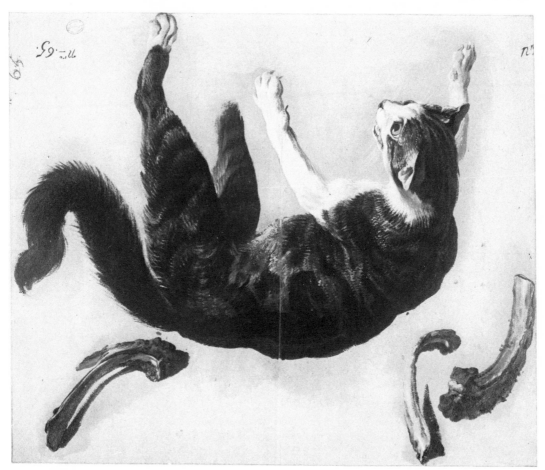

35

36

37

38

39

40

41

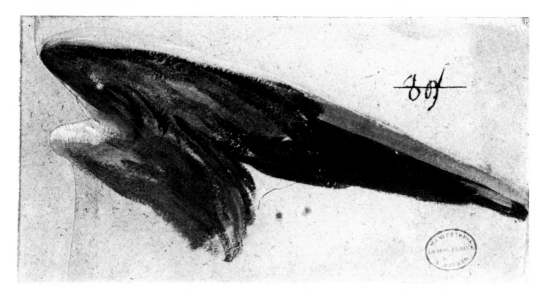

43

44

II
Paysages, arbres, plantes et fleurs

45 à 87

Le paysage occupe une place importante dans la plupart des peintures de Desportes : il sert de fond décoratif aux sujets de chasses ou aux « portraits » de chiens du Roi, suivant la tradition flamande dont l'influence a déjà été soulignée (voir Chapitre I). Mais, alors que les paysages ainsi intégrés aux tableaux restent assez conventionnels, les études préparatoires conservées dans l'atelier sont infiniment plus originales par leur conception, aussi bien que par leur facture. Le fils de l'artiste, Claude-François, nous décrit la méthode de travail de Desportes et nous apprend comment ces esquisses étaient réalisées : « ...il portoit aux champs ses pinceaux et sa palette toute chargée, dans des boîtes de fer-blanc ; il avoit une canne avec un bout d'acier long et pointu, pour la tenir ferme dans le terrain, et dans la pomme d'acier qui s'ouvroit, s'emboîtoit à vis un petit châssis du même métal, auquel il attachoit le portefeuille et le papier. Il n'alloit point à la campagne, chez ses amis, sans porter ce léger bagage, avec lequel il ne s'ennuyoit point, et dont il ne manquoit pas de se servir utilement.

De là vient sans doute cette vérité singulière qu'on trouve dans ses paysages, où l'on peut distinguer, à leur tronc et à leurs feuilles, les différentes espèces d'arbres, où tout est naturel, où rien enfin n'est négligé. C'est ce qu'on peut remarquer dans la plupart de ses tableaux, surtout dans ceux de Marly... Le feu roi y reconnoissoit avec plaisir les endroits connus où il chassoit le plus souvent, et M. Fagon, son premier médecin et très-bon botaniste, se plaisoit à lui désigner savamment toutes les plantes qui y sont

fidèlement représentées, nommant au roi jusqu'aux herbes et fleurettes dont les terrasses sont ornées, et sous lesquelles se blottissent les perdrix ou faisans que les chiens arrêtent. » [1]. Ces esquisses, dont certaines sont inachevées, témoignent essentiellement d'une vision de peintre et la série ne comprend que quelques dessins préparatoires concernant des plantes (n° 80). La technique de ces esquisses montre bien qu'elles ont été, pour la plupart, peintes sur le motif. L'artiste utilise peu de couleurs, les pose en touches rapides, légères, couvrant parfois à peine le papier, utilisant l'huile presque comme de l'aquarelle ; ces réserves qui laissent apparaître le support d'un ton beige ocré accentuent l'aspect moderne des esquisses.

Comme toutes les pièces de l'atelier, ces feuilles ne sont pas datées ; elles ne portent aucune indication permettant de les identifier, contrairement aux études d'animaux parfois annotées. Selon G. de Lastic [2], la plupart des paysages ont sans doute été peints entre 1690 et 1700, car certains détails sont reconnaissables dans les paysages de chasses commandés pour la Ménagerie en 1700 ou les « portraits de chiens » de Marly de 1702 et 1714 (voir Chapitre I). Ces esquisses ont dû être peintes au hasard de promenades, ou pendant les chasses au cours desquelles Desportes étudiait également les animaux (voir Chapitre I). On y reconnaît les forêts et les bois, les rivières et les plaines, les collines aux pentes douces, les haies et les champs de l'Ile-de-France. Les ciels légers ou nua-

1) Dussieux, 1854, p. 109-110.
2) Exp., Compiègne, 1961, introduction au catalogue, n. p.

geux, les effets de lumière, sont aussi ceux que Desportes a pu observer à Marly, à Meudon ou à Versailles, où l'appelaient les commandes royales; les étonnantes études de troncs d'arbres ont pu être exécutées dans les forêts de Saint-Germain, de Saint-Cloud ou de Compiègne. Il n'y a jamais de présence animale ni humaine, à une exception près (n° 47). Desportes montre parfois dans les lointains un village, une église, un château, difficiles à identifier aujourd'hui avec certitude, telle une vue présumée de Compiègne (Sèvres, S 29; Exp. Compiègne, 1961, n° 53, fig. 6). Ces paysages traduisent une « impression », un effet de lumière dans les feuillages (n° 68) ou dans le ciel (n° 55), montrent un tronc d'arbre dont la forme retient l'attention de l'artiste (n° 64), ou un reflet dans l'eau (n° 50).

Le charme original et le modernisme de ces esquisses viennent de leur spontanéité d'exécution. Le propos de Desportes, en effet, est de constituer un répertoire de motifs, comme il le faisait pour les animaux (voir Chapitre I) et de nombreuses études de paysages ou de plantes ont certainement été peintes pour être ensuite utilisées à l'atelier, quoique l'on retrouve très rarement dans ses peintures un paysage exactement semblable à l'une des esquisses (n° 45). D'autres études, en revanche, doivent être considérées comme des œuvres indépendantes exécutées pour le pur plaisir de peindre, ou pour s'exercer à l'observation de la nature. On voit, dans la plupart de ces esquisses, la lumière claire et égale que l'on retrouve dans les peintures achevées. Cependant, Desportes a su aussi trouver des tons exceptionnels pour représenter un vallon dans la brume (n° 53), un coucher de soleil dans un ciel nuageux (n° 54) ou la forêt en automne (n°s 56, 57).

L'artiste a ainsi peint sur le motif non seulement des esquisses de paysages mentionnées dans l'inventaire dressé par Nicolas Desportes en 1784 : « 70 feuilles (d'études de paysage et lointain)... »[3], mais encore des arbres, plantes et fleurs : « ... 49 feuilles (d'études de troncs d'arbres et plantes)... », « ... 41 feuilles (d'études de fleurs et fruits)... »[4]. La forêt, décor des chasses, est très souvent représentée; Desportes a une prédilection pour les arbres qu'il utilise très souvent dans ses peintures. Il détaille les troncs, les feuillages,

les branches, en études précises, aux tons assez justes pour permettre d'identifier les espèces (n°s 59, 60); il note aussi des sujets plus rares, comme les souches d'arbres (n°s 65, 66) ou les arbres morts (n° 67), thèmes souvent représentés par les paysagistes hollandais du XVIIe siècle que l'on retrouvera bien plus tard chez les peintres de l'école de Barbizon.

Si les arbres occupent une place privilégiée dans l'atelier, les plantes et les fleurs y fournissent les sujets de nombreuses esquisses. Elles jouent d'ailleurs un rôle important dans les compositions achevées, qu'elles figurent au premier plan des paysages de chasses, ou forment un décor aux chiens gardant du gibier; on les retrouve mêlées aux oiseaux dans les tapisseries (n° 124), ou groupées en bouquets dans les natures mortes (n° 143). Les motifs du pavot (n° 74), de l'oranger en fleurs (n° 73) ou du bouillon blanc sont les plus fréquemment répétés. Les études de Desportes rappellent les planches des recueils du XVIIe siècle dues à des artistes comme Nicolas Robert, Jean Joubert ou Claude Aubriet, déjà cités à propos des animaux (voir Chapitre I). Le développement de l'art des jardins ne fut sans doute pas étranger à cet épanouissement de la peinture florale. Les artistes pouvaient étudier les plantes des jardins royaux de Versailles, qui eurent une importance comparable à celle de la Ménagerie pour la peinture animalière (voir Chapitre I). On sait par le témoignage du fils de Desportes (voir p. 13) que Louis XIV s'intéressait particulièrement aux plantes représentées par l'artiste dans ses tableaux.

Parmi les études de l'atelier, à côté des plantes représentées isolément, on trouve aussi des esquisses groupant avec un sens poétique personnel des motifs divers, feuilles (n°s 69, 70, 82) ou fleurs (n°s 76, 77, 78), sans doute exécutés d'après nature. C'est avec un œil de peintre que Desportes réalise ces études : le caractère spécifique des plantes l'intéresse moins que les détails de couleurs ou la forme décorative des feuilles, et la mise en page fait parfois penser à certains décors floraux de la fin du XIXe siècle. Cependant, il reste toujours très proche de la nature. Avec une précision qui rappelle le naturalisme des miniatures médiévales et atteint même le réalisme aigu de Dürer, il peint les plantes sauvages dans les champs (n°s 85, 86) ou les sous-bois (n° 84), les talus couverts d'herbes, de mousses et de fougères (n° 52), et note les détails infimes des feuilles trouées par les insectes

---

3) Engerand, 1901, p. 613.
4) *Ibidem.*

(n° 81). Cette série d'études de paysages et de plantes forme la part la plus originale de l'atelier. C'est par elle, en particulier, que Desportes participe aux découvertes et aux recherches picturales qui voient apparaître la notion de peinture en plein air dans le cercle de Vleughels à Rome vers 1720-1730, annonçant Oudry et Natoire. P. Conisbee a récemment étudié dans un intéressant article [5] les relations entre l'art de Desportes et les théories sur la peinture de paysage énoncées par Roger de Piles; il remarque encore chez Desportes, comme chez Poussin ou Claude Lorrain, l'existence d'une distinction entre le tableau achevé et l'esquisse dont la fusion ne se produira qu'au XIXe siècle. C'est précisément par ces esquisses que Desportes, plus proche des paysagistes de la fin du XVIIIe siècle que de ses contemporains, rejoignant Moreau l'aîné et Valenciennes, annonce avec un siècle d'avance Constable, Corot et les peintres de Barbizon.

5) Conisbee, 1979, p. 423-426.

45
Bâtiments à colombages

Huile sur papier beige. H. 0,320; L. 0,455.
En haut, à la plume et encre brune à gauche : *36*, et à droite : *n[ro] 36*. Collé en plein. Verni.
Sèvres, V. 30 (P § 2. 1814. n° 75).
Bibl. : Conisbee, 1979, repr. n° 33.
Exp. : Paris, 1955, h. c; Compiègne, 1961, n° 29; Cambridge-Londres, 1981, n° 7, repr.

L'une des rares études qu'on peut identifier dans une œuvre de l'artiste, la seule peinture achevée de paysage, signée et datée 1740, figurant dans l'inventaire de Nicolas Desportes (Engerand, 1901, p. 612; Sèvres, S 3).

46
Arbres et petit bâtiment

Huile sur papier beige. H. 0,305; L. 0,505.
En bas à gauche, à la plume et encre brune : *N[ro] 17*. Collé en plein.
Sèvres, V. 20 (P § 2. 1814. n° 80).
Exp. : Compiègne, 1961, n° 19.

47
Personnage au bord de l'eau

Rideau d'arbres à l'arrière-plan.

Huile sur papier beige. H. 0,185; L. 0,440.
Collé en plein. Verni.
Sèvres, V. 5 (P § 2. 1814. n° 70).
Exp. : Besançon, 1957, n° S 58; Compiègne, 1961, n° 5.

C'est le seul paysage où figure un personnage, minuscule silhouette à gauche, qui fait penser à Boudin.

48
Rivière dans la plaine

Huile sur papier. H. 0,175; L. 0,495.
Collé en plein. Verni.
Sèvres, V. 13 (Pp § 4. 1814. n° 11).
Exp. : Compiègne, 1961, n° 12.

Les tons nuancés de ce paysage, du gris-vert des feuillages au gris perle du ciel, rendent la brume et la lumière particulière d'Ile-de-France, et se retrouvent dans le paysage n° 53, qui représente peut-être le même lieu pris le même jour, d'un autre point de vue.

49
Pont sur une rivière, colline et ciel nuageux

Huile sur papier beige. H. 0,270; L. 0,510.
En bas, à droite, à la plume et encre brune : *N[ro] 5*. Collé en plein.
Sèvres, V. 22 (P § 2. 1814. n° 78).
Exp. : Compiègne, 1961, n° 21.

Paysage inachevé, où le ciel occupe une place importante, comme dans le paysage n° 55, mais n'est pas l'unique sujet de l'esquisse comme au n° 54.

50
Étang dans la forêt

Huile sur papier beige. H. 0,300; L. 0,520.
En haut, à gauche, à la plume et encre brune : *19* (coupé). Collé en plein.
Sèvres, V. 25 (P § 2. 1814. n° 99).
Exp. : Bordeaux, 1958, n° 97; Compiègne, 1961, n° 24, pl. 10; Toledo-Chicago-Ottawa, 1975-1976, n° 28 (b), repr.

Plus poussée que les autres esquisses, celle-ci, traitée dans une harmonie bleu-vert, témoigne de la vision personnelle de Desportes qui a su traduire la lumière légère du sous-bois, les reflets dans l'eau, et les différents tons des feuillages.
Une autre étude de l'atelier montre un étang avec les reflets d'arbres et de ciel dans l'eau (Sèvres, V. 14; Exp. Compiègne, 1961, n° 13).

51
Falaise rocheuse

Huile sur papier beige. H. 0,266; L. 0,485.
Collé en plein. Partiellement verni.
Sèvres, V. 18 (P § 2. 1814. n° 95).
Exp. : Paris, 1955-1956, h. c. ; Besançon, 1957, n° S 71; Compiègne, 1961, n° 17; Londres, 1977-1978, n° 11.

52
Clairière avec talus rocheux et arbres

Au premier plan, plantes à larges feuilles.

Huile sur papier beige. H. 0,295; L. 0,500.
En haut à droite, à la plume et encre brune : *25*. Collé en plein. Verni.
Sèvres, V. 26 (P § 2. 1814. n° 100).
Exp. : Compiègne, 1961, n° 25; Londres, 1977-1978, n° 12, repr.

53

Vallon boisé

Rideau d'arbres au premier plan, et colline dans le lointain.

Huile sur papier beige. H. 0,160; L. 0,300. Collé en plein sur carton. Verni.
Sèvres, V. 8 (P § 2. 1814. n° 61).
Exp. : Compiègne, 1961, n° 8.

Cette esquisse est à comparer avec celle du n° 48.

54

*Ciel nuageux
au soleil couchant*

Huile sur papier beige. H. 0,280; L. 0,335. Collé en plein. Partiellement verni.
Sèvres, V. 2 (P § 2. 1814. n° 67).
Exp. : Paris, 1955-1956, h. c. ; Compiègne, 1961, n° 2, pl. 13; New-York, 1967, n° 59, repr.; Toledo-Chicago-Ottawa, 1975-1976, n° 28 (a), repr.

Étude unique parmi les esquisses de paysages, où Desportes a fixé en quelques touches rapides un effet de lumière traversant les nuages balayés par le vent.

55

*Orée de la forêt
au soleil couchant*

Huile sur papier. H. 0,205; L. 0,430. En haut, à gauche, à la plume et encre brune : *ro 24* (coupé par le montage à gauche). Collé en plein. Verni.
Sèvres, V. 24 (P § 2. 1814. n° 69).
Exp. : Compiègne, 1961, n° 23.

L'effet de soleil couchant à gauche est à comparer avec l'esquisse du n° 54.

56

*Bois en automne
avec ciel nuageux*

Huile sur papier. H. 0,190; L. 0,520. En haut, au centre et à droite, à la plume et encre brune : *N°10, 10*. Collé en plein. Verni.
Sèvres, V. 11 (Pp § 4. 1814. n° 8).
Exp. : Besançon, 1957, n° S 70; Compiègne, 1961, n° 10; Londres, 1977-1978, n° 10.

L'un des paysages où Desportes note les tons de l'automne, roux, jaunes et bruns (voir aussi n° 57).

57

Forêt en automne

Huile sur papier beige. H. 0,245; L. 0,500. En haut, à droite, à la plume et encre noire : *20* (coupé par le montage). Collé en plein. Verni.
Sèvres, V. 15 (P § 2. 1814. n° 91).
Exp. : Compiègne, 1961, n° 14.

58

Grands arbres dans la forêt

Huile sur papier beige. H. 0,515; L. 0,595. En haut, à gauche, à la plume et encre brune : *54* (coupé par le montage). Collé en plein. Verni.
Sèvres, V. 32 (P § 2. 1814. n° 81).
Exp. : Compiègne, 1961, n° 31.

59

Quatre troncs de saules

Huile sur papier beige. H. 0,505; L. 0,395. En haut, et en bas, à la plume et encre brune : *N° 3*. Collé en plein.
Sèvres, III. 39 (F § 7. 1814. n° 50).

Un groupe de saules figure sur une esquisse de paysage (Sèvres, S 19; Exp. Cambridge-Londres, 1980-1981, n° 6, repr.) qui est utilisée dans le fond à droite dans la peinture *Folle et Mite* représentant les chiens de Louis XIV, commandée pour Marly en 1702 (Musée du Louvre; dépôt au Musée de la Chasse et de la Nature, Paris).
Les esquisses de troncs et d'arbres sont caractérisées par les détails des écorces, et les notations subtiles des couleurs. Le motif se détache vigoureusement sur la feuille de papier, en touches rapides, plus épaisses que pour les esquisses de plantes ou de fleurs (voir les numéros suivants).

60

*Deux troncs d'arbres
avec lierre et plantes*

Huile sur papier beige. H. 0,460; L. 0,285.

En haut, à gauche, et à droite, au centre, à la plume et encre brune : *N° 2*. Collé en plein.
Sèvres, III. 68 (P § 2. 1814. n° 93).
Exp. : Compiègne, 1961, h. c.

La couleur argentée des troncs fait penser qu'il s'agit de bouleaux.

61

*Deux troncs d'arbres
et feuillage*

Huile sur papier beige. H. 0,450; L. 0,285. En haut, au centre, à la plume et encre brune : *N° 12;* à droite, au centre, numéro coupé. Collé en plein. Partiellement verni.
Sèvres, III. 67 (P § 2. 1814. n° 87).
Exp. : Compiègne, 1961, n° 38.

Ces arbres sont sans doute des bouleaux comme ceux de l'esquisse n° 60.

62

*Deux troncs d'arbres
et lierre*

En haut, feuillage.

Huile sur papier beige. H. 0,450; L. 0,290. Au centre, à droite, et en bas, à gauche, à la plume et encre brune : *N° 13, n 13* (coupé par le montage). Collé en plein. Partiellement verni.
Sèvres, III. 63 (F § 7. 1814. n° 7).
Exp. : Compiègne, 1961, n° 37.

L'arbre représenté est peut-être un acacia. Desportes a exécuté de nombreuses esquisses conservées à Sèvres, associant les troncs d'arbres et le feuillage du lierre.

63

*Deux troncs d'arbres
avec feuillage
et branche de lierre*

Huile sur papier beige. H. 0,465; L. 0,290. En haut, à gauche, à la plume et encre brune : *n° 5*, et au centre : *n° 5* coupé. Collé en plein. Partiellement verni.
Sèvres, III. 42 (F § 7. 1814. n° 36).
Exp. : Compiègne, 1961, n° 34.

Le feuillage paraît être celui de l'érable.

64

Tronc d'arbre avec feuillage

Huile sur papier beige. H. 0,485; L. 0,310.
En haut, à droite, et en bas à gauche, à la
plume et encre brune : *n^{ro} 18*. Collé en plein.
Verni.
Sèvres, III. 33 (F § 7. 1814. n° 37).

65

Deux souches d'arbres et chardon

Huile sur papier beige. H. 0,285; L. 0,485.
En haut, au centre, à la plume et encre
brune : *n^{ro} 2*. Collé en plein. Verni.
Sèvres, III. 23 (F § 7. 1814. n° 62).
Exp. : Paris, 1947, n° 182.

Le chardon est représenté dans d'autres
esquisses (Sèvres, S 277 et 278; n° 79);
c'est une plante très décorative qui est
souvent utilisée par les paysagistes
flamands.

66

Six souches d'arbres

Huile sur papier beige. H. 0,265; L. 0,460.
Au centre, en bas, en sens inverse, à la plume
et encre brune : *n^{ro} 15*. Collé en plein.
Partiellement verni.
Sèvres, III. 46 (F § 7. 1814. n° 5).
Exp. : Compiègne, 1961, n° 35; Londres,
1977-1978, n° 17.

Sujet rarement représenté par les paysagistes français du XVIIIᵉ siècle, les
souches d'arbres observées dans la forêt
ont retenu l'attention de Desportes qui
en a fixé le souvenir dans plusieurs
études (Sèvres, III. 25 et 38; voir aussi n°
précédent). Le thème a été traité par des
artistes hollandais du XVIIᵉ siècle comme
Anthonie Waterloo (1610-1676) dont
deux dessins du Louvre montrent des
souches et des troncs d'arbres coupés
(Lugt, II, 1931, n°ˢ 888 et 889, pl.
LXXVIII).

67

Quatre troncs d'arbres morts

Huile sur papier beige. H. 0,520; L. 0,310.
En haut, à gauche, et à droite, à la plume et
encre brune : *n^{ro} 4*. Collé en plein. Partiellement verni.
Sèvres, III. 32 (F § 7. 1814. n° 34).

68

Branches d'arbres sur un ciel bleu

Huile sur papier beige. H. 0,505; L. 0,305.
En haut, à gauche et en bas, à droite, à la
plume et encre brune : *n^{ro} 23*. Collé en plein.
Partiellement verni.
Sèvres, III. 66 (P § 2. 1814. n° 98).
Exp. : Compiègne, 1961, h. c.

69

Branches et feuilles de chêne

Huile sur papier beige. H. 0,480; L. 0,620.
En haut, à droite et à gauche : *n^{ro} 28,* et en
bas, à droite : *28* (inversé), à la plume et
encre brune; à gauche numéro coupé par le
montage. Collé en plein.
Sèvres, III. 54 (F § 7. 1814. n° 47).
Exp. : Paris, 1947, n° 184.

70

Feuilles de marronnier et branche de noisetier

Huile sur papier beige. H. 0,525; L. 0,585.
En haut, à droite, à la plume et encre brune :
N^{ro} 23, 23. Collé en plein. Partiellement
verni.
Sèvres, III. 55 (F § 7. 1814. n° 33).
Exp. : Paris, 1947, n° 185; Compiègne,
1961, h.c.

Le souci d'une mise en page décorative
n'exclut pas l'exactitude naturaliste des
feuillages représentés, qui permet de les
identifier avec certitude.

71

Sureau et églantier en fleurs

Huile sur papier beige. H. 0,315; L. 0,510.
En bas à droite, à la plume et encre brune :
n° 32; en haut dans l'angle droit, numéro
coupé. Collé en plein. Partiellement verni.
Sèvres, III. 34 (F § 7. 1814. n° 13).
Exp. : Compiègne, 1961, n° 33.

72

Rosiers

Huile sur papier beige. H. 0,305; L. 0,505.
Collé en plein. Verni.
Sèvres, III. 31 (F § 7. 1814. n° 208).
Exp. : Compiègne, 1961, h. c. ; Londres,
1977-1978, n° 14.

73

Oranger en fleurs

Huile sur papier beige. H. 0,300; L. 0,285.
En haut à droite, à la plume et encre brune :
N^{ro} 16. Collé en plein. Partiellement verni.
Sèvres, III. 24 (F § 7. 1814. n° 11).

L'oranger figure souvent dans les
compositions décoratives et les natures
mortes de Desportes. Une autre
esquisse représentant aussi l'arbre en
fleurs fait partie de l'atelier (Sèvres,
S 279).

74

Pavot fleuri

Huile sur papier beige. H. 0,490; L. 0,230.
En haut, à droite, à la plume et encre brune;
N^{ro} 18. Collé en plein. Partiellement verni.
Sèvres, III. 45 (F § 7. 1814. n° 16).

Le motif du pavot ou du rosier en fleurs
(voir n° 72) est souvent utilisé par
Desportes dans les fonds décoratifs des
peintures, comme dans le *Chien gardant
du gibier* du Musée du Louvre (Rosenberg-Reynaud-Compin, 1974, n° 212,
repr.).

75

Fritillaire ou couronne impériale

Huile sur papier. H. 0,540; L. 0,340.
Collé en plein sur toile. Verni.
Sèvres, S 253 (Fp § 3. 1814. n° 46).

Cette fleur était fréquemment représentée dans les livres de botanique du
XVIIᵉ siècle; on la trouve notamment
dans un recueil de fleurs de Nicolas
Robert (Bibliothèque Nationale. Estampes, Da 24). Une autre étude de
fritillaire fait partie de l'atelier (Sèvres, S
158).

76

Fleurs

Narcisse, jasmin, branche d'oranger
fleuri, jacinthe, muguet.

Huile sur papier. H. 0,325; L. 0,505.
Collé en plein sur carton monté sur panneau
de bois. Verni.

Sèvres, S 286 (F § 7. 1814. n° 206).
Exp. : Beauvais, 1920, n° 142.

77
Feuilles et fleurs de volubilis bleus, mauves et roses

Huile sur papier beige. H. 0,530; L. 0,630.
En bas à gauche, à la plume et encre brune :
N°° 20, 20 (inversés). Collé en plein.
Sèvres, III. 53 (F § 7. 1814. n° 30).
Exp. : Compiègne, 1961, h. c.

78
Fleurs de genêts et de chèvrefeuille

Huile sur papier beige. H. 0,300; L. 0,460.
Collé en plein.
Sèvres, III. 44 (F § 7. 1814. n° 207).
Exp. : Compiègne, 1961, h. c.

Plusieurs esquisses montrent des planches de fleurs diverses, vues dans les jardins ou dans les champs, et traitées avec un souci de vérité naturaliste alliée à une recherche décorative dans la mise en page (n°s 76, 77).

79
Chardon et rumex ou patience

Huile sur papier beige. H. 0.300; L. 0,505.
En haut, à gauche, à la plume et encre brune : *N°° 33.* Collé en plein. Partiellement verni.
Sèvres, III. 36 (F § 7. 1814. n° 61).

Plantes des champs qui sont, avec le bouillon-blanc (n°s 80, 81) les motifs le plus souvent représentés par Desportes au premier plan des paysages, dans les « portraits de chiens » ou les scènes de chasses.

80
Molène ou bouillon-blanc

Pierre noire, avec rehauts de blanc, sur papier beige. H. 0,150; L. 0,145.
Collé en plein.
Sèvres, III. 9 (F § 7. 1814. n° 65).
Exp. : Gien, 1961, n° 14.

Étude pour le n° 81.

81
Molène ou bouillon-blanc

Huile sur papier beige. H. 0,200; L. 0,280.
Collé en plein. Partiellement verni.
Sèvres, III. 8 (F § 7. 1814. n° 58).

Plante très commune dans les bois et les champs, le bouillon-blanc figure souvent dans les paysages des peintures de Desportes. Il faut noter le détail réaliste des feuilles trouées par les insectes qu'on trouve sur une autre étude de l'atelier représentant des feuilles de choux (Sèvres, S 242; Exp. Londres, 1977-1978, n° 16).

82
Feuilles de vigne

Huile sur papier beige. H. 0,360; L. 0,305.
Collé en plein. Verni.
Sèvres, III. 29 (F § 7. 1814. n° 22).

83
Ronces

Huile sur papier beige. H. 0,480; L. 0,310.
En haut, à gauche, à la plume et encre brune, numéros coupés par le montage. Collé en plein. Partiellement verni.
Sèvres, III. 28 (F § 7. 1814. n° 25).

84
Plantes des sous-bois

Mousses, fougères, lierre et herbes.

Huile sur papier beige. H. 0,305; L. 0,510.
En bas, à gauche, à la plume et encre brune : *n°°* (coupé par le montage). Collé en plein. Verni.
Sèvres, V. 29 (P § 2. 1814. n° 97).
Exp. : Compiègne, 1961, n° 28, pl. 3; Londres, 1977-1978, n° 13.

85
Plantes sauvages

Huile sur papier beige. H. 0,290; L. 0,505.
En haut, au centre, à la plume et encre brune : *N°° 27* (barré). Collé en plein. Partiellement verni.
Sèvres, III. 20 (F § 7. 1814. n° 1).
Exp. : Compiègne, 1961, n° 32; Londres, 1977-1978, n° 15.

86
Plantes sauvages fleuries

Huile sur papier beige. H. 0,290; L. 0,510.
En haut, à gauche, à la plume et encre brune, trace du numéro (coupé par le montage). Collé en plein. Partiellement verni.
Sèvres, III. 27 (F § 7. 1814. n° 14).

87
Plantes à longues feuilles

Huile sur papier beige. H. 0,250; L. 0,425.
Collé en plein. Partiellement verni.
Sèvres, III. 37 (F § 7. 1814. n° 4).

Une deuxième étude de ces feuilles de narcisses (?) est conservée à l'atelier (Sèvres, III. 58). On les trouve souvent mêlées aux autres plantes dans les paysages des peintures de chasses, et dans l'esquisse n° 50.

45

46

47

49

50

51

53

2

Paysages arbres et fleurs

55

57

58

59

60

61

62

63

64

65

66

67

68

70

69

71

72

73

74

75

76

77

78

79

80

81

82

83

84

85

Paysages arbres et fleurs

87

86

III
Les tentures des Indes
Animaux et plantes exotiques

88 à 120

Les études de l'atelier concernant les animaux et plantes exotiques sont, pour la plus grande part, à mettre en relation avec les travaux de Desportes pour les tentures des Indes. Cependant, il s'est intéressé aux animaux exotiques avant ces travaux et c'est en raison de son expérience dans ce domaine que l'on fit appel à lui.

En effet, dès ses débuts à Paris, il a certainement travaillé à la Ménagerie de Versailles avec son maître, le peintre animalier Nicasius Bernaerts, qui participa à la décoration de celle-ci lors de sa construction en 1664 et fut ensuite chargé par le Roi de représenter les animaux nouvellement arrivés; en 1673 par exemple, Nicasius peignit quarante-six tableaux représentant cinquante-deux espèces différentes [1]. On sait que Louis XIV fut le premier collectionneur en France d'animaux et d'oiseaux exotiques; très bien aménagée, la Ménagerie était régulièrement approvisionnée grâce aux présents reçus par le Roi et surtout grâce aux expéditions de la Compagnie française des Indes et aux nombreuses missions envoyées par Colbert dans le Levant, en Égypte ou en Tunisie [2]. Les visiteurs y étaient admis et de nombreux peintres, en particulier, venaient étudier les animaux. Parmi ceux-ci, le plus renommé était Pieter Boel, dont nous avons déjà évoqué l'influence sur la formation de Desportes en tant que peintre animalier (voir Chapitre I et pp. 00). Après la mort de Nicasius, Desportes lui succéda : «... dès qu'il arrivait quelque animal étranger, quelque oiseau rare et singulier, pour la ménagerie, Sa Majesté les lui envoyoit pour les peindre » écrira le fils de l'artiste [3]. En 1700, il reçut la commande de cinq tableaux de chasses pour la décoration de la Ménagerie que Louis XIV rénovait alors en l'honneur de la duchesse de Bourgogne [4]. Mais déjà auparavant, en 1692-1693, l'artiste avait été appelé aux Gobelins pour participer à la première campagne de restauration des cartons de la tenture des Indes.

L'histoire de cette importante suite décorative a été souvent étudiée et sera brièvement résumée ici [5]. En 1678, le prince Jean-Maurice de Nassau offrit à Louis XIV un ensemble d'œuvres destinées à servir de base à la confection d'une série de tapisseries rappelant le souvenir de l'expédition qu'il avait faite entre 1636 et 1644 pour la Compagnie hollandaise des Indes dans le sud de l'Amérique et plus spécialement au Brésil. La mission comprenait une équipe scientifique et des peintres chargés de faire des études de la flore et de la faune des pays traversés, les deux principaux étant Albert Eckhout (env. 1607-1665) et Frans Post (1612-1680). A son retour, Jean-Maurice de Nassau fit don à plusieurs reprises de certains documents rapportés, objets d'ethnographie ou d'histoire naturelle et

Pour toute cette partie, les auteurs souhaitent exprimer leur très vive gratitude envers P. J. Whitehead qui leur a généreusement communiqué le manuscrit d'une étude extrêmement complète qui devrait paraître prochainement (cf. Bibliographie). L'ouvrage de R. Joppien (1979) a également été amplement utilisé.

1) Loisel, 1912.
2) *Ibidem*; Lacroix, 1978; Marie, 1976, p. 189-238.
3) Dussieux, 1854, p. 106.
4) Mabille, 1974, p. 90.
5) Le dernier état de la question est exposé dans Joppien (1979) et Whitehead (à paraître).

peintures; la plus importante donation fut celle qu'il adressa à Louis XIV. Une liste jointe détaillait les différents éléments de cet envoi dont la composition reste pourtant imprécise [6]. Il comprenait, en tout cas, quarante-deux peintures dont douze grands cartons d'Albert Eckhout et neuf tableaux de paysages de Frans Post; il semble avoir également comporté des objets de curiosité et des documents, peintures ou dessins, destinés à permettre d'éventuelles modifications des cartons avant la mise en chantier des tapisseries. C'est seulement en 1686, après la mort du prince de Nassau en 1679, que l'on entreprit la première édition des tapisseries de la tenture des Indes, appelée les *Anciennes Indes,* d'après huit des douze cartons envoyés [7]. La suite devint rapidement célèbre et fut très souvent reproduite jusqu'en 1730, en haute et en basse lisse, et en deux tailles (*Petites* et *Grandes Indes*). Cette utilisation intensive entraîna une rapide dégradation des cartons qui durent subir plusieurs restaurations s'accompagnant, semble-t-il, de légers remaniements. On fit ainsi appel à Desportes en 1692-1693, puis en 1703 à Claude Audran, peut-être en collaboration avec Desportes à nouveau sollicité en 1722, pour repeindre les parties usées concernant les animaux.

En 1735, le Directeur des Bâtiments du Roi, Philibert Orry, commanda à Desportes une série de nouveaux cartons; ceux-ci furent peints entre 1737 et 1741 et exposés aux Salons de 1737 à 1741 [8]. Le peintre s'est inspiré des premiers modèles, et les sujets nouveaux correspondent à ceux des *Anciennes Indes :* *Le Cheval rayé* (1737), *Le Chameau* (1737), *Les Taureaux* (1738), *Le Combat d'animaux* (1738), *La Négresse portée dans un hamac* (1739), *L'Éléphant ou Le Cheval isabelle* (1740, *Le Chasseur indien* (1740) et *Les Pêcheurs* (1741). Il s'agit bien, cependant, de cartons nouveaux, où d'autres éléments, plantes et animaux européens ou exotiques, ont été introduits; en outre,

la composition de deux cartons a été transformée : *L'Indien à cheval* des *Anciennes Indes* est remplacé par *Le Chameau* et *Le Roi porté par deux Maures* est devenu *La Négresse portée dans un hamac*. Cette série, dite des *Nouvelles Indes* par opposition à la première, connut un succès comparable.

Elle fut tissée jusqu'à la fin du XVIIIe siècle, uniquement en basse lisse [9]. Les mélanges d'espèces animales ou florales de provenances diverses — européenne ou exotique — figurant dans ces compositions, ne dénaturent pas les tapisseries anciennes qui mêlaient déjà des spécimens d'Amérique du Sud à d'autres venus d'Afrique ou d'Europe. Malgré l'exactitude avec laquelle sont examinés et reproduits chaque plante ou animal, les compositions des *Nouvelles Indes,* tout comme celles des *Anciennes Indes,* répondent au goût contemporain pour un exotisme mêlant à la recherche de l'authenticité une représentation des pays lointains pleine de fantaisie et de splendeur.

Un grand nombre des études de plantes et surtout d'animaux exotiques peut avoir été exécuté à l'occasion de l'un ou l'autre remaniement des anciens cartons — en 1692-1693 ou en 1722 — aussi bien qu'au moment de la composition des nouveaux cartons, entre 1737 et 1741. Comme nous l'avons vu, Desportes avait alors déjà peint ou dessiné des études du même genre, à la demande du Roi ou pour lui-même. Il a pu les réutiliser pour les cartons. Il semble que l'on puisse distinguer deux groupes : certains dessins ou esquisses à l'huile reprennent tels quels les motifs des *Anciennes Indes* alors que d'autres peuvent soit présenter des variantes notables par rapport à ces motifs, soit montrer des animaux ou des plantes ne figurant pas dans les tapisseries anciennes. Le problème des sources utilisées se pose essentiellement pour le second groupe qui ne saurait dériver des cartons originaux. Il est vraisemblable qu'un certain nombre de ces études a été peint d'après nature à la Ménagerie de Versailles, au Jardin des Plantes ou dans les foires, dont on a souligné l'importance en ce domaine; on y voyait des montreurs d'ours mais aussi des bateleurs avec des singes, des marmottes, des cobayes ou des oiseaux exotiques. En outre, des combats d'animaux semblables à ceux qui avaient eu lieu à la Ménagerie de Vincennes jusqu'à son transfert à Versailles, où on les supprima, se donnaient aussi dans les foires [10]. Ils ont pu inspirer certaines

6) Guiffrey, 1886, t. II, p. 122.

7) Les cartons d'Eckhout conservés à la Manufacture des Gobelins et très usés semblent avoir en partie disparu; les paysages de F. Post sont au Musée du Louvre (Brejon-Foucart-Reynaud, 1979, p. 106).

8) Les cartons sont conservés au Musée du Louvre; plusieurs d'entre eux sont en dépôt dans des musées de province; Rosenberg-Reynaud-Compin, 1974, n° 215.

9) Fenaille, 1903, p. 380-382-387; 1907, p. 40-73; Jarry, 1957, p. 39-45; Jarry, 1958, p. 306-311; Jarry, 1959, p. 62-69; Jarry, 1976, p. 52-59.

10) Loisel, 1912.

intitulée *Le Combat d'animaux* (n° 92). Cependant, les études de ce groupe n'ont pas toutes été faites d'après nature. P. Whitehead suggère que certaines ont pu être exécutées d'après les documents joints aux cartons et mentionnés dans la liste précitée. Ces documents devaient ressembler aux tableaux, esquisses et dessins d'Eckhout actuellement conservés à Copenhague, Leningrad, Berlin, Londres et Cracovie [11]. P. Whitehead et R. Joppien pensent même pouvoir attribuer à Eckhout certaines études de l'atelier (n°s 95, 104, 105 et 119). En outre, Desportes a vraisemblablement connu les nombreux recueils du XVIIe et du début du XVIIIe siècles, gravés ou dessinés, représentant animaux et plantes, dans lesquels figuraient des spécimens exotiques; mais il semble moins sûr qu'il s'en soit inspiré. Il a également pu copier des œuvres de Nicasius Bernaerts ou de Pieter Boel, qu'elles soient restées à la Manufacture des Gobelins ou qu'il en ait possédé des exemplaires. Certaines des esquisses de l'atelier sont très proches des peintures de Boel, en provenance des Gobelins, qui appartiennent aujourd'hui au Musée du Louvre et sont en grande partie déposées dans des musées de province [12]; ces peintures étaient autrefois attribuées à Desportes mais leur véritable auteur a pu être identifié grâce à d'anciens inventaires [13]. Ce problème d'attribution déjà évoqué (voir chapitre I) reste complexe en raison de la facilité avec laquelle Desportes transposait ses modèles. Pourtant, quoique l'influence flamande soit toujours sensible dans ses œuvres, on peut reconnaître dans certaines esquisses un style personnel permettant de les distinguer de celles de Boel.

Les sujets exotiques figurent assez rarement dans les tableaux de Desportes, en dehors de ces cartons de tapisseries. Ceux-ci ne sont cependant pas les seules œuvres où le peintre les ait utilisés. On ignore la date des grands tableaux de plantes, fleurs, fruits et objets exotiques peints pour le Grand Trianon [14]. C'est à l'occasion des tableaux peints en 1714 pour l'hôtel que venait de faire construire le duc d'Antin, Directeur des Bâtiments du Roi, que, selon G. de Lastic, « Desportes abandonne les sujets de chasses classiques pour des animaux exotiques groupés autour de natures mortes somptueuses » [15]. Le peintre, suivant une fois encore l'exemple flamand, introduit en effet dans ses natures mortes et ses grandes compositions décoratives des animaux — plus particulièrement oiseaux ou singes — des plantes et des fruits exotiques; ces décors

plaisaient d'autant plus aux princes et aux riches particuliers qu'eux-mêmes possédaient souvent des animaux tels que singes, perroquets ou aras [16]. En 1738, Desportes plaça des oiseaux exotiques à côté d'oiseaux familiers dans les paysages qui servent de fonds aux « portraits » des chiens de Louis XV, destinés au château de Compiègne [17]. En 1742, il a peint pour la Chambre du Roi au château de Choisy deux dessus-de-porte représentant des oiseaux rares des Indes [18]; ceux-ci, au moment où il venait d'achever les nouveaux cartons de la tenture des Indes, constituent un témoignage supplémentaire du goût persistant de l'artiste pour l'exotisme.

11) Exp. La Haye, 1979-1980, p. 273 à 277 et Joppien, 1979.

12) Brejon-Foucard-Reynaud, 1979, p. 27-29; Rosenberg, 1966, p. 35.

13) Dans l'« Inventaire general des tableaux desseins et autres choses qui ont été faites à la Manufacture Royale des Gobelins et qui sont à la garde particulière du Sr. Yvart peintre aux Gobelins » (Paris, Bibliothèque Nationale, Manuscrit français 7827), recueil continué par « le Sr. Chastellain inspecteur et peintre de laditte manufacture » et datable entre 1693 et 1735 puisqu'on y cite les travaux de Desportes sur la tenture des *Anciennes Indes* mais pas ses cartons pour les *Nouvelles Indes* qui n'apparaissent, pour partie, que sur une copie plus tardive (*Ibidem,* Manuscrit français 7828), sont cités des « Tableaux d'animaux peints par M. Boels » ainsi que des « Animaux de Nicasius ».

14) Faré, 1962, t. I, p. 136; G. Van der Kemp, *Versailles. Le Grand Trianon,* Paris, 1966, n.p. fig. 2 et 3; Joppien, 1979.

15) Lastic, 1961, p. 59 et 63.

16) Loisel, 1912.

17) Musée du Louvre et Musée national du château de Compiègne.

18) Ces tableaux se trouvent aujourd'hui au Museum national d'histoire naturelle à Paris; Lastic, 1961, p. 64; Blumer, 1945-1946, p. 65-66.

88

Deux études de lamas

Huile sur papier beige. H. 0,285; L. 0,330. En haut, à gauche, annoté de la main de Nicolas Desportes, à la plume et encre brune : *Chevre sans corne des Indes.* Collé en plein.
Sèvres, I. 109 (Fp § 2. 1814. n° 145).
Bibl. : Jarry, 1957, p. 44; Jarry, 1959, repr. p. 67.
Exp. : Paris, 1955, n° 81; Cleveland-Washington - Paris, 1975-1976, n° 116, repr. ; La Haye, 1979-1980, n° 212, repr.; Berlin, 1982, n° 4/82.

Copie d'après le carton des *Anciennes Indes* nommé *L'Indien à cheval* ou *Le Cheval pommelé,* où figurent, à droite, deux lamas exactement semblables à ceux-ci : l'un brun, dont on ne voit que la tête, l'autre blanc, avec le curieux détail anatomique des pattes antérieures digitées et des sabots aux pattes postérieures; sur son dos les sacs mentionnés dans la description de l'envoi du prince de Nassau : « On charge les moutons avec de l'or et de l'argent dans des sacs lesquels ils portent par terre... » (Benisovich, 1943, p. 221). Le lama blanc est repris, sans modification, dans *Le Chameau* ou *Le Cheval pommelé* (1737) des *Nouvelles Indes.*
Le lama ou alpaga, animal de la Cordillère des Andes, était connu en Europe depuis le XVIe siècle.

89

Six oiseaux et deux tatous

Huile sur papier beige. H. 0,300; L. 0,500. En haut, à droite, à la plume et encre brune : *95.* Collé en plein. Verni.
Sèvres, I. 122 (Fp § 2. 1814. n° 68).
Bibl. : Jarry, 1957, p. 44; Jarry, 1959, repr. p. 66.
Exp. : La Haye, 1979-1980, n° 216, repr.; Berlin, 1982, n° 4/83.

On trouve, avec quelques variantes, dans la tenture des *Anciennes Indes* intitulée *Le Cheval rayé* les modèles de cette esquisse : les deux tatous, la chouette, les deux oiseaux en haut, et celui de droite (coupé par le montage). Ils sont repris dans le carton correspondant des *Nouvelles Indes* (1737). Mais il semble que Desportes a pu aussi s'inspirer des documents envoyés avec les cartons, qui devaient être très sembla-bles aux esquisses et dessins d'Eckhout retrouvés à Cracovie : parmi ceux-ci figurent une chouette et des oiseaux proches de ceux de la feuille d'études exposée ici (Exp. La Haye, 1979-1980, p. 276 et 277, repr.).

90

Tatou marchant

Huile sur papier beige. H. 0,280; L. 0,445. Collé en plein. Verni.
Sèvres, I. 121 (F § 6. 1814. n° 183).
Bibl. : Jarry, 1976, p. 68, fig. 6.
Exp. : Paris, 1955, n° 83; La Haye, 1979-1980, n° 214, repr. (inversé).

Si les tatous de l'esquisse n° 89 parais-sent plutôt inspirés des représentations d'Eckhout, celui-ci est davantage une création de Desportes en vue du carton *Le Cheval rayé* (1737) des *Nouvelles Indes :* l'animal est représenté en entier, alors qu'il est en partie caché par des plantes dans la tenture des *Anciennes Indes.*
Le tatou, sorte de hérisson du Brésil au dos couvert de plaques cornées, est l'un des animaux qui ont le plus frappé les explorateurs de l'Amérique du sud au XVIe siècle, et dont ils ont donné les descriptions les plus étonnantes; les premières représentations apparaissent dès le XVIe siècle (Exp. Cleveland-Washington - Paris, 1976-1977, n°s 28 et 37); on en trouve ensuite au XVIIe siècle dans les publications de voyages : planches gravées par Sébastien Leclerc pour l'*Histoire générale des Antilles* du père Du Tertre (Paris 1667-1671, pl. I, n° 18; Louvre, Collection Edmond de Rothschild L 84 LR, n° 1959; Préaud, 1980, t. II, p. 56, n° 1531, repr.).

91

Deux poissons

Huile sur papier beige. H. 0,230; L. 0,315. Collé en plein.
Sèvres, II. 47 (F § 6. 1814. n° 82).
Bibl. : Jarry, 1957, p. 39; Jarry, 1959, repr. p. 66.
Exp. : Paris, 1955, n° 75; La Haye, 1979-1980, n° 221, repr.; Berlin, 1982, n° 4/86.

P. Whitehead (ouvrage à paraître) signale qu'il s'agit de la seule occasion où l'étude de Desportes soit inversée par rapport au carton; il ne s'agit donc pas d'une copie et certains détails amènent à penser qu'elle n'est pas inspirée direct-ement de la tapisserie. L'artiste a vrai-semblablement eu recours aux dessins annexes. D'ailleurs, ces deux poissons sont semblables à ceux qui figurent dans la publication commandée par le prince de Nassau sur la flore et la faune du Brésil, *L'Historia naturalis Brasiliae* parue en 1648 (Exp. Cleveland-Washington - Paris, 1976-1977, n° 78, repr.). Ils sont représentés au premier plan de la tapisserie *Le Cheval rayé des Anciennes Indes,* et repris par Desportes pour le carton correspondant des *Nouvelles Indes* (1737).

92

Combat d'animaux

A gauche : tigre, sanglier et chien; au centre ; cerf avec deux chiens et lion attaquant un tapir; à droite, crocodile dévorant un bélier.

Huile sur papier beige. H. 0,330; L. 0,590. Collé sur toile.
Sèvres, S 183 (Fp § 2. 1814. n° 192). Dépôt au Musée de la Chasse et de la Nature, Paris.
Bibl. : Hourticq, 1920, p. 129.
Exp. : Beauvais, 1920, n° 6.

C'est la seule esquisse de l'atelier pré-sentant la composition complète de l'un des cartons de la tenture : *Le Combat d'animaux* (1738). Le sujet est inspiré des *Anciennes Indes,* mais avec de notables variantes. Le tapir est attaqué par un lion au lieu d'un jaguar, et Desportes a ajouté des chiens qu'il a empruntés à l'une de ses scènes de chasse. Le décor de paysage, en revanche, n'a pas été modifié. Le peintre a repris les plantes, les arbres avec le palmier cocotier et le groupe d'oiseaux exotiques dont les deux études sont exposées ici (n°s 94 et 95).
On sait que des combats d'animaux avaient lieu à la Ménagerie de Vincennes et dans les foires.

93

Tapir

Huile sur papier beige. H. 0,165; L. 0,235. Collé en plein. Verni.
Sèvres, I. 119 (F § 6. 1814. n° 184).

Bibl. : Jarry, 1957, p. 44; Jarry, 1959, repr.
p. 66.
Exp. : Paris, 1955, n° 82; Cleveland-Washington-Paris, 1975-1976, n° 115, repr.; La
Haye, 1979-1980, n° 215, repr.; Berlin, 1982,
n° 4/85.

Cette esquisse n'a pas été faite d'après
l'animal vivant, mais d'après *Le Combat
d'animaux* des *Anciennes Indes* où le tapir
est attaqué par un jaguar. Desportes l'a
utilisée pour les *Nouvelles Indes* en
remplaçant le jaguar par un lion (voir n°
92). Parmi les animaux d'Amérique du
Sud, le tapir fait partie, avec le lama et le
tatou, de ceux qui fascinèrent les Européens dès le XVIe siècle.

94
*Huit oiseaux exotiques
en vol*

Huile sur papier. H. 0,190; L. 0,230.
En bas, à droite, à la plume et encre brune :
121 (barré). Collé en plein.
Sèvres, II. 14 (F § 6. 1814. n° 40). Dépôt au
Musée de la Chasse et de la Nature, Paris.
Exp. : Paris, 1955, n° 74.

Ce vol d'oiseaux-mouches et d'oiseaux
de Paradis est la copie, avec de légères
variantes, du groupe d'oiseaux qui
figure dans le *Combat d'animaux* des
Anciennes Indes et fut repris intégrale-
ment dans le carton du même sujet des
Nouvelles Indes (1738). Plusieurs études
de l'atelier représentent des oiseaux
exotiques semblables, inspirés des cartons des *Anciennes Indes* (Sèvres, II. 3 et
6, S 129).

95
Palmier cocotier

A droite, étude de deux branches.

Pierre noire sur papier bis. H. 0,350;
L. 0,275. En bas, à gauche, annoté de la main
de l'artiste (?), à la pierre noire : *couleur de
branche figuier, palmier sauvage,* et à droite vers
le centre : *vert;* d'une autre main, à la plume
et encre brune sur traits de pierre noire :
cocotier.
Au verso, étude d'un hamac, avec motif de
broderie, à la pierre noire et sanguine.
Annoté, à la pierre noire, de la même main
qu'au recto : *tout blanc
couleur de paille ou de cane
or et rouge.*
Sèvres, III. 13 (F § 7. 1814. n° 59).

Le palmier représenté ici apparaît dans
deux cartons des *Nouvelles Indes : Le
Combat d'animaux* (1738) et *Les Taureaux* (1738); de plus, le dessin du verso
se rattache aussi à cette dernière composition. Les annotations donnant des
indications de couleurs font penser qu'il
s'agit de croquis pris par l'artiste d'après
les cartons des *Anciennes Indes,* ou les
documents annexes : un hamac indien
figurait dans la liste des curiosités
jointes à l'envoi du prince de Nassau
(Jarry, 1976, p. 56). Cependant, P.
Whitehead et R. Joppien pensent que ce
dessin, ainsi que les n°s 104, 105 et 119
sont plutôt de la main d'Eckhout. Il
faudrait alors supposer qu'ils ont été
ensuite annotés par Desportes. Il faut
aussi noter que le palmier, comme le
figuier des Indes (n° 104) figure dans
plusieurs peintures de paysages de Frans
Post (Brejon-Foucart-Reynaud, 1979,
p. 106, Inv. 1722, 1723, 1725, repr.).

96
*Cheval attaqué par un lion
et un rhinocéros*

A droite, quatre tiges de canne à sucre.

Huile sur papier beige. H. 0,320; L. 0,505.
En haut, au centre, annoté de la main de
Nicolas Desportes, à la plume et encre
brune : *Cheval rayé Rhinoceros Canne à sucre,*
et d'une autre main : *147.* Collé en plein.
Verni.
Sèvres, I. 123 (F § 6. 1814. n° 177).
Bibl. : Jarry, 1957, p. 43, repr. fig. 1; Jarry,
1959, repr. p. 66.
Exp. : Paris, 1955, n° 77; Bordeaux, 1960, n°
67.

Ce groupe d'animaux, comme celui du
n° suivant, ne figure dans aucune
tapisserie des *Anciennes* ou des *Nouvelles
Indes.* On peut supposer qu'il s'agit
d'une recherche sur le thème du *Combat
d'Animaux* de 1738, avec des éléments
du *Cheval rayé* dont le carton a été
réalisé en 1737; le lion remplace le
jaguar. L'esquisse est plus proche du
carton des *Anciennes Indes* sur lequel on
retrouve le motif des cannes à sucre à
droite, traité différemment dans les
Nouvelles Indes.

97
*Combat d'un lion
et d'un éléphant*

A terre, un tigre et un lion morts.

Huile sur papier beige. H. 0,385; L. 0,535.
Collé en plein. Verni.
Sèvres, I. 125 (F § 6. 1814. n° 160).
Bibl. : Jarry, 1957, p. 44.
Exp. : Bordeaux, 1960, n° 68.

Il s'agit d'une composition qui n'a pas
été utilisée pour une tapisserie. Elle a été
sans doute créée par Desportes au
moment de la réalisation du *Combat
d'animaux,* comme le groupe du n° 96.
L'éléphant aux immenses oreilles est
tout à fait différent de celui du carton :
L'Éléphant ou *Le Cheval Isabelle* de
1740.
Le lion qui figure dans ces esquisses
(n°s 92, 96) est sans doute inspiré des
modèles vivants que Desportes a pu
voir et étudier à la Ménagerie ou dans
les foires (voir n° 108).

98
Bélier vu de dos et échassier

Huile sur papier beige. H. 0,270; L. 0,440.
Collé en plein.
Sèvres, I. 65 (F § 2. 1814. n° 124).
Bibl. : Jarry, 1959, repr. p. 66.
Exp. : La Haye, 1979-1980, n° 213, repr.

Le bélier à grosse queue est signalé dans
la Ménagerie de Versailles sous le nom
de mouton de Barbarie (Loisel, 1912).
Mais ici, cet animal et le flamant sont
des copies d'après *Le Roi porté* des
Anciennes Indes. Un bélier, tout à fait
identique, figure dans *La Négresse portée...* (1739), des *Nouvelles Indes;* le
flamant est remplacé par une demoiselle
de Numidie (voir n° 115). Un dessin
d'Eckhout représentant le même mouton dans la même position est aujour-
d'hui conservé à Cracovie (Joppien,
1979, p. 344, repr.).

99
Singe assis

La tête est tournée de face.

Huile sur papier beige. H. 0,160; L. 0,090.
Collé en plein. Verni.

Sèvres, I. 129 (Fp § 2. 1814. n° 42).
Exp. : Paris, 1955, n° 79.

Étude correspondant au singe perché dans un palmier dans l'esquisse n° 103. Le motif se retrouve identique dans *Le Roi porté* des *Anciennes Indes* et dans *La Négresse portée...* (1739) des *Nouvelles Indes.*

100
Deux singes assis

Au centre, tête d'un singe.

Huile sur papier beige. H. 0,200; L. 0,285. Collé en plein. Verni.
Sèvres, I. 130 (Fp § 2. 1814. n° 130).
Bibl. : Jarry, 1957, p. 45; Jarry, 1959, p. 62, repr. p. 67.

Les deux singes ont été copiés d'après les *Anciennes Indes* et réutilisés pour les cartons correspondants des *Nouvelles Indes.* Le singe de droite, sans doute un ouistiti, est sur une branche de bananier dans *Les Pêcheurs* (1741). Celui de gauche apparaît dans un palmier dans *La Négresse portée...* (1739) où figure également le singe auquel correspond l'étude de tête au centre de l'esquisse. Ces copies, exécutées sur la même feuille, ont été utilisées pour deux cartons réalisés à des dates différentes; il faut aussi noter l'aspect gauche et raide des animaux, contrastant avec d'autres études (comparer avec le n° 106) : ceci pose le problème d'attribution déjà évoqué.

101
Poissons, crabes et tortue

Huile sur papier beige. H. 0,310; L. 0,490. Collé en plein. Verni.
Sèvres, II. 46 (F § 6. 1814. n° 81).
Bibl. : Jarry, 1957, p. 44, repr. fig. 2; Jarry, 1959, repr. p. 66; Jarry, 1976, repr. p. 67.
Exp. : Paris, 1955, n° 76; La Haye, 1979-1980, n° 220, repr.

Le groupe des poissons suspendus, ainsi que les crustacés, crabes et tortue, se trouvent au premier plan de *La Négresse portée...* (1739); ces motifs sont repris exactement de la tenture des *Anciennes Indes.* Avec quelques variantes, les crabes figurent aussi dans *Le Cheval rayé* (1737). On peut noter que l'artiste a

restitué dans les cartons des *Nouvelles Indes* des détails cachés par des motifs du premier plan dans les *Anciennes Indes.*

102
Neuf oiseaux, fourmilier, tête d'éléphant

Huile sur papier beige. H. 0,610; L. 0,500. En haut, à droite, à la plume et encre brune : *93* et *crabier* de la main de Nicolas Desportes. Collé en plein sur carton monté sur panneau de bois.
Sèvres, S 57 (F § 6. 1814. n° 35). Dépôt au Musée national du château de Compiègne.
Bibl. : Jarry, 1957, p. 44.
Exp. : Beauvais, 1920, n° 47; Paris, 1955, n° 90; La Haye, 1979-1980 n° 218, repr.

Cette esquisse comprend divers motifs qui semblent plutôt étudiés d'après *L'Éléphant* des *Anciennes Indes,* et repris dans le carton du même sujet des *Nouvelles Indes* (1740) : le tamanoir ou fourmilier, la tête d'éléphant, et les oiseaux qu'on peut identifier : perroquets, perruches, toucan, spatule, crabier. Les oiseaux sont très nombreux dans la tenture, et il est difficile de faire une distinction entre ceux qui sont inspirés des modèles flamands, et ceux qui, ajoutés par Desportes, sont certainement des spécimens observés dans les volières de Versailles.

103
Plantes exotiques avec oiseaux et singe

Huile sur papier beige. H. 0,650; L. 0,490. Plusieurs annotations peu lisibles, à la plume et encre brune, identifiant des espèces. Collé en plein sur carton monté sur panneau de bois.
Sèvres, S. 152 (F § 7. 1814. n° 20). Dépôt au Musée national du château de Compiègne.
Bibl. : Jarry, 1957, p. 44.
Exp. : Beauvais, 1920, n° 19; Paris, 1955, n° 88; La Haye, 1979-1980, n° 248, repr.

Les divers éléments de cette étude figurent dans différentes tapisseries des *Anciennes Indes* : les curieux nids d'oiseaux exotiques, qui avaient retenu l'attention de nombreux voyageurs, se trouvent dans *Le Cheval rayé, Le Roi porté, L'Éléphant* et sont repris dans les

Nouvelles Indes. Les fruits et légumes (ananas, melons, pastèques, bananes, courges) sont caractéristiques des compositions réalisées par Eckhout (Exp. Cleveland-Washington-Paris, 1976-1977, n°ˢ 74 et 75, repr.); ils apparaissent dans plusieurs cartons et plus particulièrement au premier plan de *L'Éléphant,* formant une importante nature morte reprise par Desportes dans le sujet correspondant des *Nouvelles Indes* (1740). Le singe dans le palmier est le sujet de l'esquisse n° 99.

104
Figuier des Indes avec fleurs et fruits

Pierre noire et sanguine, avec rehauts de blanc, sur papier beige. H. 0,360; L. 0,250.
Sèvres, III. 15 (F § 7. 1814. n° 72).
Exp. : La Haye, 1979-1980, n° 247, repr.

Le dessin montre avec précision un détail du grand arbre, appelé figuier des Indes ou de Barbarie, placé au centre de la composition du *Chasseur indien,* aussi bien dans les *Anciennes* que dans les *Nouvelles Indes.* Cet arbre est emprunté à un paysage de Post : *Le Rio Francisco* (Musée du Louvre; Brejon-Foucart-Reynaud, 1979, p. 106, Inv. 1727).
Selon P. Whitehead et R. Joppien, le dessin pourrait être attribué à Eckhout, ainsi que d'autres études de plantes exotiques de l'atelier (n°ˢ 95, 105, 119).

105
Yucca ou dracoena

Étude du tronc, en bas, à droite.

Pierre noire et sanguine, avec rehauts de blanc, sur papier beige. H. 0,505; L. 0,295. Annoté, en bas à gauche, deux fois à la pierre noire, et au-dessous, à la plume et encre brune : *Dracoena ou Yucca.*
Sèvres, III. 11 (F § 7. 1814. n° 71).
Bibl. : Jarry, 1959, repr. p. 67.
Exp. : Paris, 1955, n° 73; Besançon, 1957, n° S 109; Cleveland-Washington-Paris, 1975-1976, n° 117, repr.; La Haye, 1979-1980, n° 249, repr.; Berlin, 1982, n° 4/84.

Cet arbuste ne se trouve pas dans la tenture des *Anciennes Indes* mais figure à droite dans *Le Chasseur Indien* des *Nouvelles Indes* (1740). Desportes s'est sans doute inspiré d'un document joint aux cartons ou d'un paysage de F. Post où se trouve également un palmier (n° 95; Brejon-Foucart-Reynaud, 1979, p. 106, Inv. 1722, repr.). Selon H. Honour (Exposition, Cleveland-Washington-Paris, 1975-1976, n° 117) le yucca n'était pas connu en Europe avant le milieu du XVIIIᵉ siècle, mais il pourrait s'agir d'un dracoena, plante de la même famille dont l'aspect est plus proche du dessin exposé et qui existait dans le Vieux Monde.

Animaux et plantes ne se rapportant pas à une tapisserie précise
106 à 120

106
Singe

En haut, au centre, étude de la tête.

Huile sur papier beige. H. 0,270; L. 0,380. En bas, à gauche, annoté de la main de Nicolas Desportes, à la plume et encre brune : *Sapajou*. Collé en plein.
Sèvres, I. 131 (F § 6. 1814. n° 86).
Bibl. : Champfleury, 1891, p. 11.
Exp. : Paris, 1947, n° 179; Paris, 1955, n° 80.

Le singe représenté ici est sans doute un sajou (ou sapajou) de l'Amérique du Sud. On ne le trouve pas dans les tentures des *Indes*. Cette étude a-t-elle été faite d'après nature, ou d'après l'un des documents joints aux peintures d'Eckhout ?

107
Singe assis

Pierre noire et sanguine, sur papier beige. H. 0,170; L. 0,085.
Collé en plein.
Sèvres, I. 128 (F § 6. 1814. n° 92).
Exp. : Paris, 1955, n° 78; Gien, 1961, n° 18.

L'un des rares dessins de singe qui a peut-être été exécuté d'après nature. Il ne correspond à aucun motif dans les cartons des *Indes*.

108
Lionne couchée

A gauche, études des pattes et de la tête.

Pierre noire et sanguine, avec rehauts de blanc, sur papier beige. H. 0,280; L. 0,430.
Sèvres, I. 111 (F § 6. 1814. n° 190).

Avec l'étude d'ours du n° 38, celle-ci fait certainement partie des dessins où l'attitude de l'animal est observée d'après nature. Les lions et lionnes sont le sujet de plusieurs esquisses à l'huile (Sèvres, I. 127, S 60, S 112 et 113) et dessins (Sèvres, I. 126, I. 115). L'une des esquisses (Sèvres, S 60) est une copie avec des variantes, d'après une peinture de Pieter Boel (Musée du Louvre; Dépôt au Musée de Lille; Exp. *Trésors des Musées du Nord de la France*, III, *La peinture flamande au temps de Rubens*, Lille - Calais - Arras, 1977, n° 4, repr.).

109
Tigre marchant

De profil à droite.

Pierre noire et sanguine, avec rehauts de blanc, sur papier beige. H. 0,295; L. 0,620. A droite, annoté de la main de l'artiste, à la pierre noire : *le col plus délicat et un peu les pattes;* d'une autre main, à la mine de plomb : *186.* Doublé.
Sèvres, I. 113 (F § 6. 1814. n° 186).
Exp. : Gien, 1961, n° 21, repr.

Dessin d'après nature, comme l'indique l'annotation précisant les détails anatomiques. Deux autres études de tigre, dans la même attitude, mais moins libres et moins proches de l'animal vivant, sont conservées, l'une au Musée du Louvre (Inventaire RF 14 984; M. Serullaz, L. Duclaux, G. Monnier, *Dessins du Louvre. École française,* Paris-New York, 1968, n° 34, repr.), l'autre au Musée de la Chasse et de la Nature, à Paris. Il s'agit sans doute de répliques d'après le dessin exposé, destinées au carton de *L'Éléphant* des *Nouvelles Indes* (1740). Desportes a placé ce tigre passant derrière l'éléphant. Comme le dromadaire d'une autre tapisserie (n° 111), il ne figure pas dans la composition correspondante des *Anciennes Indes*.

110
Tête de tigre

Pierre noire et sanguine, avec rehauts de blanc, sur papier beige. H. 0,185; L. 0,170.
Sèvres, I. 112 (F § 6. 1814. n° 187).
Exp. : Paris, 1947, n° 181.

Voir n° précédent.

111
Dromadaire

A droite, étude de la tête.

Pierre noire sur papier préparé à la détrempe. H. 0,245; L. 0,360.
Sèvres, I. 107 (F § 6. 1814. n° 87).

Ce dromadaire a sans doute été dessiné d'après nature, à la Ménagerie de Versailles ou dans une foire, comme l'indique le détail du licol attaché à un anneau. D'autres études (Sèvres, I. 106, 108; Jarry, 1959, repr. p. 67; S 134) témoignent des recherches de Desportes concernant cet animal; celui-ci constitue l'une des principales modifications introduite par le peintre dans le carton de la tenture des *Nouvelles Indes* intitulé : *Le Cheval pommelé* ou *Le Chameau* (1737). Il remplace, en effet, le cavalier de la tapisserie correspondante des *Anciennes Indes* : *Le Cheval pommelé* ou *L'Indien à cheval*.

112
Crocodile

A droite, détail de la queue.

Pierre noire, avec rehauts de blanc, sur papier beige. H. 0,175; L. 0,440.
Sèvres, I. 141 (F § 6. 1814. n° 80).

L'animal a pu être dessiné à la Ménagerie où des crocodiles vivaient dès 1687 (Loisel, 1912, p. 112). Il est aussi présent dans les tentures des *Anciennes* et des *Nouvelles Indes* représentant *Le Combat d'animaux* (voir n° 92).

113
Hocco marchant

A droite, étude de plumes.

Huile sur papier beige. H. 0,350; L. 0,265. En bas, à gauche, annoté, à la plume et encre brune : *n hauco* (coupé à gauche par le montage). Collé en plein. Partiellement verni.
Sèvres, II. 23 (F § 6. 1814. n° 48).

Les hoccos sont mentionnés à la Ménagerie de Versailles; l'un d'eux avait été offert à Louis XIV en 1671 (Loisel, 1912). C'est peut-être celui qui figure dans l'album de 59 gouaches exécutées d'après P. Boel *Les Oiseaux de la Ménagerie du Roy,* (Bibliothèque Nationale, Estampes, Jb 37); il est très proche du hocco représenté ici.
On aperçoit un hocco dans le paysage du *Chameau* (1737) des *Nouvelles Indes.*

114
Deux études d'aras

Huile sur papier beige. H. 0,315; L. 0,245. Collé en plein. Partiellement verni.
Sèvres, II. 37 (F § 6. 1814. n° 20).

Les perroquets, perruches ou aras, aux plumages de couleurs vives, sont très souvent utilisés par Desportes, comme par tous les peintres du XVIIe siècle, pour des compositions décoratives, natures mortes ou tapisseries. Les volières de Versailles présentaient des oiseaux exotiques reçus en présents par le Roi ou rapportés de missions lointaines par des voyageurs. L'étude exposée a pu être exécutée d'après nature, comme également celles des nos 113, 115 à 117, alors que les oiseaux des nos 89, 94, 102 et 103 sont plus manifestement inspirés des *Anciennes Indes.*

115
Six études de demoiselles de Numidie

Huile sur papier beige. H. 0,320; L. 0,465. En bas, à droite, annoté de la main de Nicolas Desportes, à la plume et encre brune : *Demoiselle;* en haut, au centre, à la plume et encre brune : *111* (barré). Collé en plein.
Sèvres, II. 34 (F § 6. 1814. n° 47). Dépôt au Musée de la Chasse et de la Nature, Paris.

Cette étude a sans doute été faite d'après les oiseaux de la Ménagerie de Versail-

les. On sait en effet qu'entre 1687 et 1694 les demoiselles de Numidie (ou grues de Numidie), échassiers provenant des îles, faisaient partie des animaux envoyés à la Ménagerie; l'enclos où elles vivaient portait leur nom. Elles sont d'ailleurs souvent représentées dans les recueils consacrés aux collections d'animaux de Versailles, en particulier par P. Boel (Bibliothèque Nationale, Estampes, Jb 37).
Ces oiseaux figurent dans deux cartons de Desportes pour les *Nouvelles Indes : Le Chasseur Indien* (1740) et *La Négresse portée...* (1739) où la demoiselle de Numidie remplace le flamant des *Anciennes Indes* (voir n° 98).

116
Deux oiseaux exotiques

Huile sur papier beige. H. 0,225; L. 0,255. Au centre, annoté de la main de Nicolas Desportes, à la plume et encre brune : *rosignol de Guiné;* en haut, à droite, à la plume et encre brune : *12* (barré). Collé en plein. Partiellement verni.
Sèvres, II. 30 (F § 6. 1814. n° 28).
Exp. : Bordeaux, 1960, n° 66.

117
Trois oiseaux exotiques

Huile sur papier beige. H. 0,315; L. 0,210. En bas, à droite, annoté de la main de Nicolas Desportes, à la plume et encre brune : *Serin des Indes et de la Chine.* Collé en plein. Verni.
Sèvres, II. 13 (Fp § 2. 1814. n° 118).

118
Aloès

Huile sur papier beige. H. 0,610; L. 0,495. Annoté, en bas, à droite, de la main de l'artiste, à la pierre noire : *Une fois plus grand.* En haut, à droite, à la plume et encre brune : *Nro 5.* Collé en plein. Partiellement verni.
Sèvres, III. 57 (F § 7. 1814. n° 38).
Exp. : Paris, 1955-1956, h.c.

Il s'agit d'un aloès socotrin, variété d'aloès de Socotora, île de la mer des Indes.
Cette plante n'apparaît pas dans les tentures des Indes. Desportes l'a peut-être dessinée d'après un document mais

on peut aussi penser qu'il s'agit de l'une des rares études de plante exotique faite au Jardin du Roi.

119
Polygonum orientale

Pierre noire et sanguine, avec rehauts de blanc, sur papier beige. H. 0,480; L. 0,260. Au verso, annoté, à la plume et encre brune : *Polygonum orientale.*
Sèvres, III. 12 (F § 7. 1814. n° 70).

Étude préparatoire, avec des variantes, de l'esquisse n° 120. Ce dessin a été attribué par R. Joppien à Albert Eckhout, en raison d'affinités stylistiques et de l'emploi de la même technique, mais surtout parce que cette plante était alors inconnue en Europe et ne figure pas dans la tenture des *Anciennes Indes.* Ceci impliquerait qu'il s'agit de l'un des dessins d'Eckhout envoyés par Jean-Maurice de Nassau avec les peintures, et utilisés par Desportes comme modèles.

120
Polygonum orientale

Huile sur papier beige. H. 0,365; L. 0,300. Collé en plein sur carton. Verni.
Sèvres, III. 43 (F § 7. 1814. n° 56).

Voir n° précédent.

88

90

93

91

89

92

94

95

96

97

98

99

100

100   *Les tentures des Indes*

101

102

103

104

105

106

107

108

Section F. 16 - 1814 - N° 186.

186

109

110

111

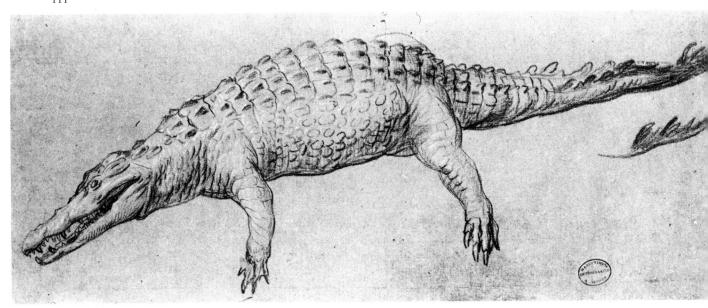

112

113

114

116

117

5

N^{ro}. 5

118

19

120

IV
*Natures mortes
et compositions décoratives*

121 à 146

Éléments de natures mortes et compositions décoratives forment un dernier groupe dans l'atelier. Dans ce genre, également, Desportes connut un succès considérable et reçut jusqu'à la fin de sa vie d'importantes et nombreuses commandes. La dernière fut : « un grand tableau représentant un buffet pour salle à manger; il avait été ordonné pour le Roy... » [1]. Il s'agit sans doute d'une peinture commandée pour la salle des buffets de Choisy en 1742 [2]. Les tableaux de chevalet représentant des natures mortes et destinés à servir de décoration murale connaissaient alors un grand développement marqué, comme l'a souligné Ch. Sterling, par une double influence : italienne et, surtout, flamande; les leçons du cercle de Rubens furent transmises, par l'intermédiaire de F. Snyders, à J. Fyt, P. de Vos, P. Boel et Nicasius, puis à Desportes et Oudry : « Boel transmit à la France la formule décorative des victuailles et du gibier accompagné d'animaux : elle y persista au XVIIIᵉ siècle dans les œuvres de Desportes » [3]. Ce développement de la nature morte est sans doute également lié au goût de l'époque pour les cabinets de curiosité en relation avec les découvertes des voyageurs; on y collectionne les singularités de la nature : oiseaux ou insectes rares, vases précieux, fleurs ou plantes, à défaut des êtres vivants eux-mêmes.

Formé à l'école flamande, Desportes peignit des natures mortes de types très divers; il était tout naturel que ce peintre animalier représentât des chiens gardant du gibier avec des accessoires de chasse tels que fusil, gibecière ou poire à poudre dans un paysage parfois envahi d'une végétation fleurie, ou des compositions décoratives avec des trophées. Le genre du trophée de chasse impliquait alors des éléments ornementaux : vases de fleurs, coupes ou corbeilles de fruits, pièces d'orfèvrerie. Ainsi s'explique peut-être l'introduction, tôt dans sa carrière, d'un genre nouveau. Nous le savons par son fils Claude-François, c'est vers 1704-1705 que Desportes commença « à peindre des fleurs et des fruits, des bassins et des vases ciselés d'or, d'argent ou d'autres matières précieuses, dont il composait des tableaux de buffet ou d'autres sujets » [4].

L'artiste a effectivement utilisé dans les compositions de ce type les éléments les plus divers; l'atelier en contient de nombreux exemples, esquisses à l'huile pour la plupart ainsi que quelques dessins et tableaux achevés. Il s'agit soit d'études isolées, soit d'éléments assemblés sur une même esquisse. On retrouve dans ces juxtapositions de détails parfois disparates le même souci de mise en page décorative que nous avons déjà signalé à propos des études de plantes ou d'animaux (nº 135).

Mariette écrit dans l'*Abecedario* : « Quelquefois il faisait entrer dans ses compositions des vases d'or et d'argent, et des ouvrages d'orfèvrerie, et l'on a vu de lui des bas-reliefs de bronze ou de marbre dont l'imitation était séduisante » [5]. Les études de pièces d'orfèvrerie sont effectivement les plus nombreuses et les plus remarquables. P. Verlet a souligné leur importance pour la connaissance de la vaisselle royale

1) Engerand, 1901, p. 612.
2) Lastic, 1961, p. 64.
3) Sterling, 1959.
4) Dussieux, 1854, p. 105.
5) *Abecedario*, p. 97.

disparue; il a su rapprocher des descriptions anciennes nombre des objets représentés par Desportes (nos 132 à 135) [6]. Mais il a également souligné combien l'aspect réaliste de ces représentations pouvait, ici encore, se révéler trompeur : « Le réel se confond probablement avec la fantaisie, et comme on l'observe souvent chez lui, l'interprétation et le mélange de divers éléments ne sont pas exclus. Similitudes et différences se conjuguent » [7]. En outre, il semble que l'artiste ait parfois mêlé aux pièces contemporaines des objets plus anciens [8]. L'artiste joignait à ces pièces précieuses des porcelaines orientales, des vases et des fleurs, dans des peintures de buffets et de dressoirs souvent garnis de victuailles : fruits, jambons et pâtés choisis pour leurs accents colorés. A côté de ces pièces d'orfèvrerie, on trouve des vases en matières précieuses : porphyre (nos 136, 137) ou agathe (n° 135), des jattes de porcelaine orientale (n° 138), des moulures et boiseries et les tissus à franges d'or que l'on retrouve richement drapés dans les tableaux achevés; les instruments de musique, rares dans les peintures de Desportes, sont totalement absents de l'atelier.

Curieusement, on n'y trouve pas non plus d'étude de ces bas-reliefs — sans doute inspirés de ceux du Flamand François Duquesnoy — peints en trompe-l'œil imitant le marbre ou le bronze doré que signale Mariette (voir supra). Ce détail n'apparaît que sur un dessin (n° 146). Ce fut pourtant l'un des motifs les plus fréquemment représentés par Desportes dans ses tableaux achevés [9] et l'un des plus admirés par ses contemporains. C'est ainsi que le Mercure de France de 1725 cite dans le compte-rendu du Salon « un petit tableau représentant des jeux d'enfants dans un bas-relief peint de bronze... qui a fait l'admiration et la surprise de tout le monde... » [10]. Les inventaires de Nicolas Desportes et de Pierre citaient dans l'atelier un tableau sur ce sujet aujourd'hui disparu [11].

Dans ses grandes compositions, Desportes emploie souvent des éléments architecturaux comme les niches décorées mettant en valeur un sujet (n° 144), les balustrades, les fontaines ainsi que des motifs décoratifs sculptés, mascarons ou têtes (nos 140, 141). Certains de ces détails se retrouvent dans une suite de dessins de l'atelier que les inventaires anciens attribuent à Gilles-Marie Oppenord [12]. Ces études de vases et d'éléments décoratifs ou architecturaux forment une double série de dessins, les uns à la plume et au lavis, les autres à la sanguine avec des contre-épreuves. L'attribution à Oppenord ne semble pas pouvoir être maintenue [13]. Ces dessins sont-ils de la main de Desportes? Leur technique est tout à fait différente de celle des autres dessins de l'atelier en général exécutés à la pierre noire; on ne peut les rapprocher que d'un dessin, l'étude de buffet (n° 146); mais de celui-ci non plus l'attribution n'est pas certaine. Comme nous ne disposons pas d'éléments de comparaison, nous ne pouvons nous prononcer. Nous en exposons quelques exemples en suggérant qu'il pourrait s'agir de copies d'après des originaux d'Oppenord, destinées à être conservées dans l'atelier pour servir de modèles, le cas échéant.

L'atelier contient enfin un ensemble de projets de feuilles de paravents pour la Manufacture de la Savonnerie (nos 121 à 127). Il s'agit de décorations mêlant arabesques, plantes, fleurs et animaux, comme celles que Desportes a réalisées soit en collaboration avec Claude Audran, célèbre pour ses dessins de grotesques, soit seul. « Il composoit et plaçait lui-même à son gré dans ces grotesques toutes sortes d'espèces d'animaux ingénieusement groupés avec les ornements... » [14].

Par son souci de sincérité jusque dans le rendu des plus humbles éléments de ses compositions, par l'élégance et l'équilibre de ses mises en page, Desportes, quoiqu'il témoigne amplement de l'influence flamande, semble avoir permis, dans le domaine de la nature morte, le passage du style « somptueux et futile » [15] du XVIIe siècle à la simplicité naturaliste de Chardin.

6) Verlet, 1977, passim.

7) Ibidem, p. 133.

8) Cailleux, 1969, p. IV-V.

9) Cailleux, 1969, p. IV-VI; Faré, 1976.

10) Mercure de France, 1725, n° 16. Au salon de 1740, figurait aussi une peinture représentant un bas-relief avec jeux d'enfants (p. 17, n° 34).

11) Engerand, 1901, p. 613 (« Un bas-relief très beau imitant le vieux marbre... M. Desportes a esté le premier qui en ait pein à tromper même les sculpteurs... ») et p. 615 (« Un tableau représentant en bas-relief de vieux marbre blanc; des jeux d'enfants... »).

12) Engerand, 1901, p. 613 (« Un (portefeuille) d'architecture d'Opnord de 28 feuilles... dessiné avec gout et pitoresquement ») et p. 624 (« on y à ajouté 30 desseins Dopnort... »).

13) Nous remercions M. Roland-Michel et M. Gallet d'avoir examiné ces pièces et exprimé leurs réserves sur cette attribution.

14) Dussieux, 1854, p. 104.

15) Sterling, 1959, p. 78.

Projets de feuilles de paravents
121 à 127

Ces sept esquisses peintes sont des modèles pour des feuilles de paravents destinés à la Manufacture de la Savonnerie. En effet, plusieurs compositions se retrouvent identiques, avec seulement des variantes dans les couronnements, dans des paravents cités aux numéros 122, 126. Desportes a donné de nombreux cartons pour des tapisseries de la Manufacture de la Savonnerie, et notamment pour d'innombrables paravents à une époque où leur succès était considérable (voir l'importante étude de P. Verlet sur ce sujet : Verlet, 1967, p. 106-118). Il y a travaillé en particulier pendant la Régence, sous l'administration du duc d'Antin, entre 1718 et 1722, ainsi que le précise son fils Claude-François : « Ce fut aussi pendant la régence qu'il composa de nouveaux dessins coloriés pour des paravents et autres meubles, qui furent exécutés à la manufacture royale des tapis de Turquis, en bas de Chaillot » (Dussieux, 1854, p. 107). Desportes était plutôt chargé du décor central des compositions, représentant des animaux ou des oiseaux, en collaboration avec Belin de Fontenay ou Claude Audran. Mais il a aussi réalisé des compositions complètes (voir Biographie, p. 00), comme en témoignent ces petits cartons de l'atelier.

121
Singerie

Singe équilibriste debout sur un fil, tenant un balancier; au-dessous, singe jouant du violon, et singe tendant son chapeau; encadrement de plantes avec deux écureuils; en haut, dais de plumes avec glands.

Huile sur papier. H. 0,325; L. 0,145.
Collé en plein.
Sèvres, IV. 51 (D § 11. 1873. n° 2[6]).

Carton de la même série que les n°s 122 et 123.

122
Singerie

Deux singes sur un espalier : l'un cueille des fruits, l'autre donne un fruit à un oiseau; encadrement de plantes et fleurs, avec oiseaux et en bas, trois canards; en haut, dais de plumes soutenant une couronne de fleurs entourant un médaillon.

Huile sur papier. H. 0,375; L. 0,125.
Collé en plein.
Sèvres, IV. 50 (D § 11. 1873. n° 2[5]).

Carton utilisé plusieurs fois pour des feuilles de paravents datés vers 1718 et cités par P. Verlet : trois exemplaires sont conservés à Waddesdon Manor (Verlet, 1967, p. 114, 115, fig. 8), au Musée Huntington en Californie et au Palais Royal de Stockholm (Verlet, 1967, p. 114-116, fig. 9).

123
Singerie

Singe équilibriste assis sur une corde, et deux singes musiciens : l'un joue du hautbois, l'autre bat la mesure; encadrement de volutes et draperies, avec deux paniers de fruits en bas.

Huile sur papier. H. 0,320; L. 0,145.
Collé en plein.
Sèvres, IV. 52 (D § 11. 1873. n° 2[7]).
Bibl. : Verlet, 1967, p. 113-114, fig. 5.

Projet pour une feuille d'un paravent conservé au Musée Nissim de Camondo à Paris (voir aussi n° suivant); ce paravent comprend six feuilles d'une importante série d'après des modèles de Desportes tissée à la Manufacture de la Savonnerie entre 1719 et 1722, et en 1727 (Verlet, 1967, p. 113 à 116).

124
Oiseaux et plantes fleuries

Hibou, oiseaux et pavots en fleurs; encadrement à volutes; en haut, dais de plumes.

Huile sur papier. H. 0,305; L. 0,130.
Collé en plein.
Sèvres, IV. 49 (D § 11. 1873. n° 2[4]).

Ce modèle est celui de la feuille centrale du paravent cité au n° précédent (Musée Nissim de Camondo, 1973, n° 141, repr.; Verlet, 1967, p. 113-114).

125
Cerf, chiens et cor de chasse

Tête de cerf parmi des feuillages devant lesquels sont dressés deux chiens; en haut, cor de chasse et guirlandes fleuries.

Huile sur papier. H. 0,315; L. 0,135.
Collé en plein.
Sèvres, IV. 48 (D § 11. 1873. n° 2[3]).
Bibl. : Verlet, 1967, p. 116.

Projet pour l'une des feuilles de paravents d'une série tissée de 1719 à 1722, et de 1734 à 1739 (Verlet, 1967, p. 114 à 116). La composition se trouve au centre d'un paravent à cinq feuilles en tapisserie de la Savonnerie conservé au Musée du Louvre (Inventaire OA 5990). Le prêt de ce paravent, aimablement consenti par le Département des Objets d'art du Louvre, permet de rapprocher dans l'exposition le modèle de Desportes et la feuille de paravent.

126
Oiseaux, accessoires de chasse, gibier

Deux cornes d'abondance avec fleurs et fruits, deux faucons chaperonnés, et oiseaux en vol; en bas, gibecière, filet, oiseaux morts; en haut, baldaquin avec plumes et oiseaux.

Huile sur papier. H. 0,310;. L. 0,130.
Collé en plein.
Sèvres, IV. 47 (D § 11. 1873. n° 2[2]).
Bibl. : Verlet, 1967, p. 113.

Modèle d'une feuille de paravent de la Manufacture de la Savonnerie de la même série, tissée entre 1719 et 1720, que les cartons n°s 123 et 124. Un exemplaire de cette feuille est au centre d'un paravent du Mobilier National (Inventaire GMT. 1161; Verlet, 1967, p. 113, fig. 6; Exp. Paris, Hôtel de la Monnaie. *Louis XV, un moment de perfection de l'art français,* 1974, n° 383).

127

Armes royales

Couronne royale sur un globe à trois fleurs de lys, palmes, casques et plumes; en bas, deux rapaces sur deux cornes d'abondance avec fruits; en haut, entablement avec draperie et oiseaux.

Huile sur papier. H. 0,305; L. 0,120.
Collé en plein.
Sèvres, IV. 46 (D § 11. 1873. n° 2¹).

■

128

*Coussin de velours
avec galon et glands dorés*

Huile sur papier beige. H. 0,280; L. 0,530.
Collé en plein.
Sèvres, IV. 43 (F § 8. 1814. n° 6).

Un tableau intitulé *Le Chien favori,* où l'animal est représenté assis sur un coussin semblable, est passé en vente en 1960 (Paris, Galerie Charpentier, 31 mars 1960, n° 14, repr.) sous le nom de Claude-François Desportes. Cette peinture est passée ensuite dans deux ventes, mais attribuée à François Desportes, sous le titre *Le King Charles* (Paris, Palais Galliera, 14 juin 1961, n° 83, et Versailles, 27 mai 1973, n° 16, repr.). Le même coussin figure dans une peinture de l'atelier : *Chiens et Perdrix* (Sèvres, I. 55).

129

*Coussin de velours
avec galon et glands dorés*

Huile sur papier beige. H. 0,250; L. 0,495.
Collé en plein.
Sèvres, IV. 44 (F § 8. 1814. n° 7).

Voir n° précédent.

130

*Deux études de draperie
bordée de franges dorées*

Huile sur papier beige.
H. 0,545; L. 0,455. Collé en plein.
Sèvres, IV. 45 (F § 8. 1814. n° 4).

On retrouve dans plusieurs compositions décoratives des tissus drapés comportant parfois des franges semblables.

131

*Draperie de tissu broché
avec frange dorée*

Huile sur papier beige.
H. 0,200; L. 0,270. Collé en plein.
Sèvres, IV. 42 (F § 8. 1814. n° 5).

132

*Buffet avec pièces d'orfèvrerie
et vases*

Huile sur papier collé sur toile.
H. 0,670; L. 0,610.
Sèvres, S 173 (Mp § 5. 1814. n° 22). Dépôt au Musée National du château de Compiègne.
Bibl. : Champfleury, 1891, p. 10; Verlet, 1977, p. 131, fig. 2.
Exp. : Beauvais, 1920, n° 8; Paris, 1950, n° 66.

Parmi les pièces d'orfèvrerie, P. Verlet a identifié le surtout d'argent du service de 1719 par Nicolas Besnier, que l'on voit aussi dans la peinture n° 135, et le plat en or de 1731, par Thomas Germain, dont une deuxième étude est exposée au n° 133.
Les aiguières figurent sur une autre peinture de l'atelier, non exposée (Sèvres, S 260; Cailleux, 1969, p. IV, fig. 3). Des vases en porphyre ornent les angles et celui du centre est inspiré du modèle n° 137. Le luminaire est ôté, mais le buffet est présenté garni, avec des fruits dans le surtout, à droite un jambon, et à gauche un pâté de Pantin qui se trouve aussi dans l'étude n° 135. Dans le décor des consoles, on note des mascarons représentant des têtes de béliers et une tête de femme (voir étude n° 141); sur la console centrale, on distingue trois petits bas-reliefs qui

rappellent ceux du Flamand François Duquesnoy (1596-1643) qui connurent un grand succès au XVIIIᵉ siècle. Desportes les a représentés dans plusieurs natures mortes, comme le fera plus tard Chardin (Cailleux, 1969, p. IV, V, pl. 1 et 2). De nombreux éléments de cet ensemble se retrouvent dans le dessin n° 146. Selon G. de Lastic, l'esquisse exposée serait une première étude pour la peinture représentant un *Buffet,* commandée pour le château de Choisy et laissée inachevée (Lastic, 1961, p. 64); on sait aussi qu'à partir de 1704-1705 Desportes peint des natures mortes avec des orfèvreries (Faré, 1962, p. 156).

133

Deux plats d'orfèvrerie

Huile sur toile. H. 0,960; L. 0,820.
Sèvres, S 269 (Mp § 5. 1814. n° 26).
Bibl. : Champfleury, 1891, p. 13; Engerand, 1901, p. 617; Faré, 1962, t. I, p. 209; Verlet, 1977, p. 131 et 133, fig. 5 et 9.
Exp. : Beauvais, 1920, n° 84; Toledo-Chicago-Ottawa, 1975-1976, n° 280, repr.

Le plat d'or identifié par P. Verlet est celui qui a été livré par Thomas Germain en 1731 pour la première écuelle de la vaisselle d'or de Louis XV; il figure également dans les peintures n°ˢ 132 et 135, et dans le dessin n° 146. Le grand plat ovale en argent a « probablement appartenu à l'un des premiers services de Louis XV » (P. Verlet).

134

Pièces d'orfèvrerie

Huile sur papier collé sur toile.
H. 0,580; L. 0,720.
Peinture inachevée.
Sèvres, S 194 (Mp § 5. 1814. n° 41). Dépôt au Musée des Arts décoratifs, Paris.
Bibl. : Champfleury, 1891, p. 12, n° 35; Engerand, 1901, p. 617; René-Jean, 1920, repr.; Faré, 1962, t. I, p. 209, t. II, pl. 323; Faré, 1976, p. 90; Verlet, 1977, p. 132, fig. 6.

P. Verlet a identifié, en notant les différences, les deux sucriers portés sur des pieds-de-biche avec ceux du service des petits cabinets du Roi à Versailles, livrés de 1735 à 1737 par Claude II Ballin. Le même auteur mentionne également la salière-poivrière, représentée au premier plan à droite, de même style, mais en indiquant qu'elle ne figure pas dans le Journal du Garde-Meuble décrivant le service de Ballin.

135
Pièces d'orfèvrerie, vases, pâté

Huile sur toile. H. 1,200; L. 1,370.
Sèvres, S 268 (Mp § 5. 1814. n° 25).
Bibl. : Champfleury, 1891, p. 12; Engerand, 1901, p. 617; Hourticq, 1920, p. 130; Faré, 1962, t. I, p. 156; Verlet, 1977, p. 131, fig. 1.
Exp. : Beauvais, 1920, n° 77.

Les pièces principales de cette peinture sont le surtout d'argent, à gauche, et le plat d'or, à droite. Selon P. Verlet, le surtout présente, avec quelques différences, des éléments de celui qui faisait partie du service d'argent blanc créé par Nicolas Besnier pour Louis XV, et livré en 1719. Desportes l'a utilisé plusieurs fois : il apparaît au centre du *Buffet* (n° 132) et sur le dessin n° 146. P. Verlet a aussi identifié le plat qui faisait partie de la vaisselle d'or livrée de 1727 à 1769 par Nicolas Delaunay, Claude II Ballin, Thomas Germain et les Roettiers. Œuvre de Thomas Germain, c'est le plateau pour la première écuelle d'or livrée le 29 novembre 1731. Desportes l'a encore représenté dans l'étude de deux plats (n° 133) et dans le *Buffet* (n° 132); il figure aussi dans le dessin n° 146. Cette peinture était sans doute un répertoire de motifs utilisés par Desportes pour ses natures mortes, comme l'indique la série des six vases présentés à côté d'un pâté de Pantin que l'on trouve souvent dans les natures mortes de Desportes et d'autres artistes.

136
Deux vases en porphyre

Huile sur papier beige. H. 0,260; L. 0,520.
Collé en plein.
Sèvres, IV. 37 (D § 11. 1873. n° 2⁴¹).
Bibl. : Champfleury, 1891, p. 13.

Un vase similaire figure dans la composition n° 145. Le peintre qui l'a copiée sur porcelaine a remplacé le vase par un perroquet.

137
Vase en porphyre

Huile sur papier beige. H. 0,405; L. 0,345.
Collé en plein.
Sèvres, IV. 38 (D § 11. 1873. 2⁴²).
Bibl. : Champfleury, 1891, p. 13.

Ce vase apparaît dans plusieurs compositions (n° 132, n° 145 et son pendant : Sèvres, S 2). Deux autres études de vases en porphyre font partie de l'atelier (Sèvres, IV. 23 et IV. 35).

138
Trois jattes en porcelaine

Huile sur papier beige. H. 0,290; L. 0,510.
Collé en plein.
Sèvres, IV. 39 (F § 8. 1814. n° 8).
Exp. : Paris, 1955-1956, h.c.

On trouve des jattes de porcelaine orientale, rondes ou à pans, garnies de fruits divers, dans de nombreuses compositions (n°ˢ 132, 143).

139
Tête de griffon

Huile sur papier beige. H. 0,310; L. 0,275.
Collé en plein.
Sèvres, IV. 36 (D § 11. 1873. 2⁴³).
Exp. : Paris, 1955-1956, h.c.

Cette esquisse et celles des numéros 140 et 141 sont des exemples d'études décoratives utilisées par Desportes pour les fonds d'architecture de ses compositions (voir n°ˢ 132, 145, 146). On retrouve certains motifs dans plusieurs dessins de l'atelier attribués à G. M. Oppenord dans les inventaires du XVIIIᵉ siècle (voir ci-dessus, p. 00).

140
Motif décoratif de console

Huile sur papier collé sur toile.
H. 0,380; L. 0,300.
Sèvres, S 175 (Mp § 5. 1814. n° 29). Dépôt au Musée national du château de Compiègne.
Bibl. : Champfleury, 1891, p. 13.
Exp. : Beauvais, 1920, n° 118.

Voir n° précédent.

141
Deux motifs décoratifs : tête de femme, coquille

Huile sur papier. H. 0,185; L. 0,095.
Collé en plein.
Sèvres, IV. 34 (F § 8. 1814. n° 9).

Voir n° 139.

142
Coupe de fruits, gibier et chien

Pierre noire et sanguine, avec rehauts de blanc, sur papier beige. H. 0,260; L. 0,430.
Sèvres, I. 78 (F § 6. 1814. n° 224).
Bibl. : Faré, 1976, p. 74.
Exp. : Besançon, 1957, n° S 104, pl. XXV; Gien, 1961, n° 12, repr.

Ce dessin est signalé par M. et F. Faré comme une étude pour un *Déjeuner gras* et, par erreur, comme étant conservé au Musée de Sèvres. C'est le seul dessin important concernant une nature morte. Une autre étude (Sèvres, I. 73) représentant une nature morte aux huîtres ou *Déjeuner maigre* est un croquis sommaire, peut-être une copie d'après une peinture (Faré, 1962, n° 317, repr.; Faré, 1976, p. 64, fig. 88).

143
Bouquet de fleurs, jatte de fraises, et gibier

Huile sur toile. H. 0,920; L. 0,730.
Sèvres, S 236 (Fp § 3. 1814. n° 13).
Bibl. : Salon de 1725, n° 4; Champfleury, 1891, p. 24; Engerand, 1901, p. 615; Faré, 1962, t. I, p. 206; Faré, 1976, p. 72, fig. 103.
Exp. : Paris, 1955-1956, h.c. ; Besançon, 1957, n° S 63; Bordeaux, 1958, n° 94, pl. 48; Paris, 1979, n° 29, repr.

Un pendant de cette composition, avec variantes et tête de chien à gauche, appartient aussi à l'atelier (Sèvres, S 12; Engerand, 1901, p. 615).

144

Orfèvrerie, gibier et fruits

Huile sur toile. H. 0,980; L. 0,780.
Sèvres, S 189 (Mp § 5. 1814. n° 38). Dépôt
au Musée des Arts décoratifs, Paris.
Bibl. : Champfleury, 1891, p. 13; Engerand,
1901, p. 612; Faré, 1962, t. I, p. 210;
Cailleux, 1969, p. V, fig. 4; Faré, 1976,
p. 90, fig. 137.

Le pendant de cette peinture, faisant
partie de l'atelier (Sèvres, S 271) et très
endommagé par le bombardement de
1943, a été récemment restauré. Une
réplique avec une variante (l'oiseau est
suspendu à gauche de la niche) est
passée en vente (Versailles, 8 juin 1974,
n° 60, repr.).
L'aiguière figurant à gauche apparaît
souvent dans les compositions de Desportes; elle est représentée deux fois
dans une peinture de l'atelier montrant
plusieurs pièces appartenant sans doute
au Mobilier de la Couronne (Sèvres,
S 260; Engerand, 1901, p. 617; Cailleux, 1969, p. IV, fig. 3).

145

Chien gardant du gibier dans un paysage

Huile sur toile. H. 2,170; L. 1,720.
Sèvres, S 1 (Mp § 5. 1814. n° 13). Dépôt au
Musée de la Chasse, Gien.
Bibl. : Champfleury, 1891, p. 10; Engerand,
1901, p. 611 et 614; Faré, 1976, p. 91, fig.
141.

Cette peinture est caractéristique des
grandes compositions décoratives de
Desportes, présentant les divers éléments qu'il utilise le plus souvent :
chien gardant du gibier, chat aux aguets
à droite, vase et fleurs, fond de paysage
avec grands arbres, motifs d'architecture et bas-relief en trompe-l'œil inspiré
de la sculpture de Duquesnoy : *Jeux
d'enfants* (voir ci-dessus, p. 00).
Le pendant fait aussi partie de l'atelier :
*Composition décorative avec gibier, fruits et
instrument de musique* (Sèvres, S 2;
Engerand, 1901, p. 611 et 614; Faré,
1976, p. 91, fig. 140). La peinture
exposée ici a servi de modèle à une
plaque de porcelaine exécutée en 1784-
1786 par le peintre Philippe Castel
(travaille à la Manufacture de Sèvres en
1772-1796), avec quelques variantes : le

vase en porphyre sur la balustrade est
remplacé par un perroquet, également
copié sur une esquisse de l'atelier
(n° 114).
La plaque (repr. p. 8), figure dans
l'exposition à côté de la peinture (Musée
national de céramique de Sèvres; Inv.
1887).

146

Buffet avec pièces d'orfèvrerie, pâté et jambon

Plume et encre noire, lavis gris avec légers
rehauts de blanc, sur traits de pierre noire, et
papier beige. H. 0,430; L. 0,365.
Collé en plein.
Sèvres, IV. 33 (D § 11. 1873. n° 2[38]).
Bibl. : Faré, 1962, t. II. n° 320, repr.; Verlet,
1977, p. 133, fig. 8.
Exp. : Gien, 1961, n° 60.

La technique de cette étude n'est pas
celle qu'emploie habituellement Desportes, ainsi qu'en témoignent les autres
dessins exposés ici. Le style, plus
linéaire, permet aussi de mettre en
doute l'attribution de ce dessin laissé
jusqu'à maintenant sous le nom de
Desportes. On note la similitude de
technique et de style avec les dessins de
motifs décoratifs et architecturaux mentionnés ci-dessus (p. 00) et exposés hors
catalogue.
Cependant, ce dessin de buffet présente
de nombreux éléments qu'on retrouve
dans les études ou les peintures de
Desportes. On relève le motif du
griffon proche de l'esquisse n° 139, les
pièces d'orfèvrerie qui figurent dans les
esquisses n°s 132, 133, 134, 135, le bas-
relief représentant des *Jeux d'enfants* qui
se trouve aussi dans la peinture n° 145,
les victuailles, pâté et jambon, motifs
fréquents dans les peintures de buffets.

121

122

124

125

120 *Natures mortes et compositions décoratives*

127

126

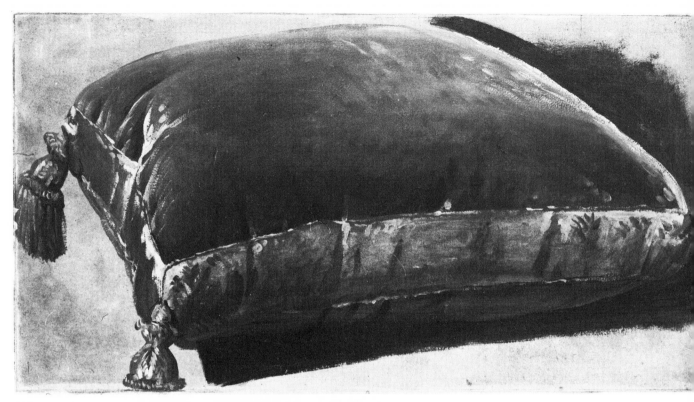

128

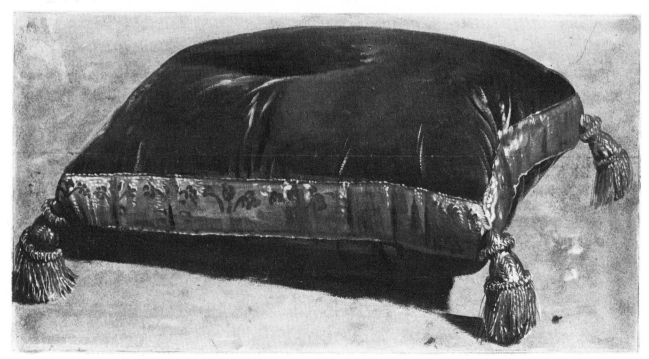

129

Natures mortes et compositions décoratives

130

132

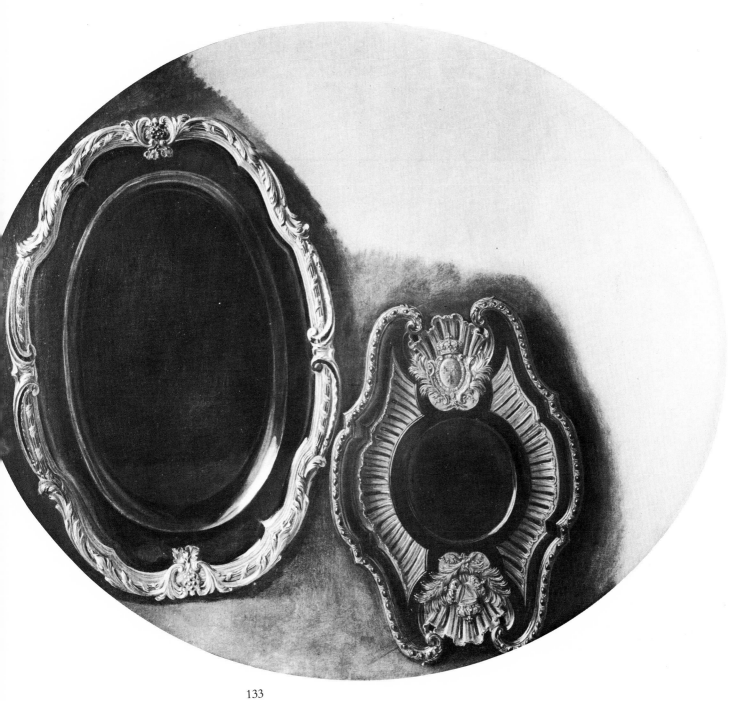

133

134

136

137

138

139

140

141

142

143

144

146

Expositions
dans lesquelles ont figuré
les œuvres exposées

Beauvais, 1920.
La Saison d'art, Beauvais, Hôtel-de-Ville, 1920.

Berlin, 1982.
Les Mythes du Nouveau Monde, Berlin, Orangerie de Charlottenbourg, 1982.

Berne, 1959.
Le XVIIe siècle dans la peinture française, Berne, Kunstmuseum, 1959.

Besançon, 1957.
Manufactures et ateliers d'art de l'État, Besançon, Palais Granvelle, 1957.

Bordeaux, 1958.
Paris et les ateliers provinciaux au XVIIIe siècle, Bordeaux, Galerie des Beaux-Arts, 1958.

Bordeaux, 1960.
L'Europe à la découverte du monde, Bordeaux, Musée des Beaux-Arts, 1960.

Bruxelles-Rotterdam-Paris, 1949-1950.
Le Dessin français de Fouquet à Cézanne, Bruxelles, Palais des Beaux-Arts; Rotterdam, Musée Boymans van Beuningen; Paris, Orangerie, 1949-1950.

Cambridge-Londres, 1980-1981.
Painting from Nature. The Tradition of open-air oil sketching from the 17th to 19th Centuries, Cambridge, Fitzwilliam Museum; Londres, Royal Academy of Arts, 1980-1981.

Charleville, 1952.
Le Sanglier, Charleville, Musée, 1952.

Cleveland-Washington-Paris, 1975-1976.
L'Amérique vue par l'Europe, Cleveland, Museum of Art; Washington, National Gallery of Art; Paris, Grand-Palais, 1975-1976.

Compiègne, 1961.
Paysages de François Desportes, Compiègne, Musée National du Château, 1961.

Dusseldorf, 1954.
Chasse et pêche sportives, Düsseldorf, 1954.

Gien, 1961.
Dessins et croquis de François Desportes, Gien, Musée de la chasse à tir, 1961.

Londres, 1977-1978.
French Landscape Drawings and Sketches of the eighteenth Century, Londres, British Museum, 1977-1978.

La Haye, 1979-1980.
Zo wijd de wereld strekt, La Haye, Mauritshuis, 1979-1980.

New York, 1967.
Masters of the loaded brush, oil Sketches from Rubens to Tiepolo, New York, Galerie Knoedler, 1967.

Paris, 1947.
La Flore et la faune dans les arts appliqués, Paris, Museum d'histoire naturelle, 1947.

Paris, 1950.
Louis XV et Rocaille, Paris, Orangerie, 1950.

Paris, 1955.
France et Brésil, Paris, Archives Nationales, 1955.

Paris, 1955-1956.
Les grands ébénistes de 1740 à 1792, Paris, Pavillon de Marsan, 1955-1956.

Paris, 1979.
Peintres de fleurs en France du XVIIe au XIXe siècles, Paris, Musée du Petit Palais, 1979.

Toledo-Chicago-Ottawa, 1975-1976.
The Age of Louis XV, French Painting 1710-1774, Toledo, Museum of Art; Chicago, Art Institute; Ottawa, National Gallery of Canada, 1975-1976.

Bibliographie

ABECEDARIO, voir CHENNEVIÈRES.

AJALBERT, J., « Les Cartons de F. Desportes », *L'Écho de Paris*, 7 juillet 1920.

BELLAIGUE, G. de, « Sèvres Artists and their Sources I : Paintings and Drawings », *The Burlington Magazine*, 1980, octobre, pp. 667-676 (Bellaigue, 1980).

BENISOVITCH, M., « The History of the *Tenture des Indes* », *The Burlington Magazine*, 1943, septembre, pp. 216-223 (Benisovitch, 1943).

BJURSTRÖM, P., *French Drawings, 18th Century*, Stockholm, 1982 (Bjurström, 1982).

BLUMER, M.-L., « Quelques tableaux d'Oudry, de Desportes et de Bachelier peints pour le château de Choisy et actuellement au Museum d'Histoire naturelle », *Bulletin de la Société d'Histoire de l'Art français*, 1945-1946, pp. 61-66 (Blumer, 1945-1946).

BODKIN, T., « Les Nouvelles tentures des Indes », *The Burlington Magazine*, 1944, mars, pp. 65-66.

BREJON de LAVERGNEE, A. - FOUCART, J. et REYNAUD, N., *Catalogue sommaire illustré des peintures du musée du Louvre. I. Écoles flamande et hollandaise...*, Paris, 1979 (Brejon-Foucart-Reynaud, 1979).

BRUNET, M., « A Propos des collections de la Manufacture nationale de Sèvres », *Arts*, n° 240, 1949, 9 décembre.

BRUNET, M., *L'Œuvre de J.-Ch. Develly à la Manufacture de Sèvres (1813-1848)*, thèse dactylographiée de l'École du Louvre, 1947 (Brunet, 1947).

CAILLEUX, J., « Themes and Survivals in Connection with two Stillife Paintings by François Desportes », *The Burlington Magazine*, T. III, 1969, supplément au n° 11, novembre, pp. I-VIII (Cailleux, 1969).

CHAMPFLEURY (HUSSON-FLEURY, J. dit), *Histoire et description des trésors d'art de la Manufacture de Sèvres*, Paris, 1891 (Inven-taire général des richesses d'art de la France. Province. Monuments civils. Tome V, n° 1) (Champfleury, 1891).

CHENNEVIÈRES, Ph. de et MONTAIGLON, A. de, *Abecedario de Mariette et autres notes inédites de cet amateur sur les arts et les artistes. Ouvrage publié par les Archives de l'Art Français*, Paris, 6 vol. 1851-1860 (*Abecedario*).

CONISBEE, P., « Pre-romantic *Plein-air* Painting », *Art History*, vol. 2, n° 4, 1979, décembre, pp. 413-428 (Conisbee, 1979).

« Dessins et croquis de François Desportes », *Journal de l'amateur d'art*, 15e année, n° 272, 25 mai 1961, p. 15.

DEZALLIER D'ARGENVILLE, A.-N., *Abrégé de la vie des plus fameux peintres*, Paris, 1745, Ed. augmentée, 1762 (Dézallier, 1762).

DUMONTHIER, E., « Les Tapisseries des Gobelins d'après François Desportes », *La Renaissance*, 1920, septembre, pp. 359-364.

DUSSIEUX-SOULIE-CHENNEVIERES..., *Mémoires inédits sur la vie et les ouvrages des membres de l'Académie Royale de Peinture et de Sculpture*, Paris, 1854 (Desportes, Cl.-F., « La Vie de M. Desportes écrite par son fils », T. II, pp. 98-113) (Dussieux, 1854).

ENGERAND, F., *Inventaire des tableaux commandés et achetés par la Direction des Bâtiments du Roi (1709-1795)*, Paris, 1901 (Engerand, 1901).

FARE, M., *La Nature morte en France, son histoire et son évolution du XII au XXe siècles*, Genève, 2 vol. 1962 (Faré, 1962).

FARE, M. et F., *La Vie silencieuse en France. La nature morte au XVIIIe siècle*, Fribourg-Paris, 1976 (Faré, 1976).

FENAILLE, M., *État général des Tapisseries de la Manufacture des Gobelins depuis son origine jusqu'à nos jours. 1600-1900*, Paris, II, 1662-1699 (1903), III, 1699-1736 (1904), IV, 1737-1799 (1907) (Fenaille, 1903, 1904, 1907).

GUELLIOT, O., *Le Peintre Nicolas Desportes, 1718-1787*, Châlons, 1932 (Guelliot, 1932).

GUIFFREY, J., *Inventaire des meubles de la couronne sous Louis XIV, 1681*, Paris, 1886 (Guiffrey, 1886).

HOURTICQ, L., « L'Atelier de François Desportes », *Gazette des Beaux-Arts*, 1920, pp. 117-136 (Hourticq, 1920).

JARRY, M., « Dessins et études provenant de l'atelier de Desportes concernant la tenture des Indes conservés à la bibliothèque de la Manufacture de Sèvres », *Bulletin de la Société d'Histoire de l'Art français*, 1957, pp. 39-45 (Jarry, 1957).

JARRY, M., « L'Exotisme dans l'art décoratif français au temps de Louis XIV », *Bulletin de la société d'étude du XVIIe siècle*, n° 36-37, 1957, pp. 300-328.

JARRY, M., « The Tenture des Indes in the Palace of the Grand Master of the Order of Malta », *The Burlington Magazine*, 1958, septembre, pp. 306-311 (Jarry, 1958).

JARRY, M., « Les "Indes" série triomphale de l'exotisme », *Connaissance des Arts*, 1959, mai, pp. 62-69 (Jarry, 1959).

JARRY, M. « L'Exotisme au temps de Louis XIV : tapisseries des Gobelins et de Beauvais », *Medizin historisches Journal*, 1976, vol. XI, cahier 1/2, pp. 52-71 (Jarry, 1976).

JOPPIEN, R., « The Dutch Vision of Brazil. Johan Maurits and his artists » (dans : Van den Boogaart, *Ed., Johan Maurits van Nassau-Siegen, 1604-1679, A humanist Prince in Europe and Brazil*, La Haye, 1979) (Joppien, 1979).

LACROIX, J.-B., « L'Approvisionnement des ménageries et les transports d'animaux sauvages par la Compagnie des Indes au XVIIIe siècle », *Revue française d'histoire* d'Outre-Mer, T. 65, n° 239, 1978, 2ᵉ trimestre, pp. 153-179.

LADOUE, P., « L'Actualité : la Saison d'art à Beauvais et "l'atelier" de Desportes », L'Art et les artistes, 14ᵉ année, T. I, n° 9, 1920, pp. 387-389.

LASTIC SAINT-JAL, G. de, « Desportes », Connaissance des Arts, 1961, janvier, pp. 56-65 (Lastic, 1961).

LASTIC, G. de, Catalogue raisonné de l'œuvre peint et dessiné de François Desportes, thèse dactylographiée de l'École du Louvre, 1969 (non consulté).

LASTIC, G. de, « Desportes et Oudry peintres des chasses royales », The Connoisseur, n° 196, 1977, décembre, pp. 290-299 (Lastic, 1977).

LASTIC, G. de, « Desportes et Oudry peintres des chasses royales », Maison de la Chasse et de la Nature, Bulletin du Club, n° 29, 1978, 1, pp. 21-31 (Lastic, 1978).

LECHEVALLIER-CHEVIGNARD, G., « Les Collections de la Manufacture de Sèvres. L'atelier de François Desportes », La Revue de l'art ancien et moderne, n° 219, t. XXXVIII, 1920, septembre-octobre, pp. 164-174.

LOISEL, G., Histoire des ménageries, de l'antiquité à nos jours, Paris, 1912 (Loisel, 1912).

LUGT, F., Les Marques de collections de dessins et d'estampes, Amsterdam, 1921. Supplément, La Haye, 1956 (Lugt, 1921).

LUGT, F., Musée du Louvre. Inventaire général des Dessins des Écoles du Nord. École Hollandaise, Paris, t. II, 1931 (Lugt, 1931).

LUGT, F., Musée du Louvre. Inventaire général des Dessins des Écoles du Nord. École Flamande, Paris, 2 vol. 1949 (Lugt, 1949).

MABILLE, G., « Les Tableaux de la Ménagerie de Versailles », Bulletin de la Société d'Histoire de l'Art français, 1974, pp. 89-101 (Mabille, 1974).

MAMOUROVSKY, W., « Les Chiens dans les tableaux de Desportes et d'Oudry au Musée des Beaux-Arts à Moscou », La Revue de l'Art, 1935, n° 67, pp. 135-140.

MARIE, A., MARIE, J., Versailles au temps de Louis XIV, T. III, Paris, 1976 (Marie, 1976).

MEURVILLE, L. de, « La Saison d'art de Beauvais », L'Illustration, 17 juillet 1920.

MIRIMONDE, A.P. de, « Les Œuvres françaises à sujet de musique au Musée du Louvre. II. Natures mortes des XVIIIᵉ et XIXᵉ siècles », La Revue du Louvre et des Musées de France, 1965, n° 3, p. 111-124.

MULLENMEISTER, K. J., Meer und Land im Licht des XVIIᵉ Jahrhunderts, Bd. 3. Tierdarstellungen in Werken Niederländischer Künstler. N-Z, Brême, 1981 (Mullenmeister, 1981).

Musée Nissim de Camondo, Union centrale des arts décoratifs, Lausanne, 1973, (Musée Nissim de Camondo, 1973).

PREAUD, M., Bibliothèque Nationale. Département des Estampes. Inventaire du fonds français. Graveurs du XVIIᵉ siècle. Tome 9. Sébastien Leclerc, Paris, 2 vol. 1980 (Préaud, 1980).

QUIGNON, H., « La Révélation de l'atelier de Desportes », La Renaissance, 1920, septembre, n° 9.

RENE-JEAN, « La Saison d'art à Beauvais », Comoedia, 16 juillet 1920 (René-Jean, 1920).

RIEDER, W., French Eighteenth Century Furnishings (Philadelphia, Museum of Art), à paraître (Rieder, à paraître).

ROSENBERG, P., Inventaire des collections publiques françaises. 14. Rouen, Musée des Beaux-Arts, Tableaux français du XVIIᵉ siècle et italiens des XVIIᵉ et XVIIIᵉ siècles, Paris, 1966 (Rosenberg, 1966).

ROSENBERG, P., « A propos de Vleughels », Pantheon, XXXI, 2, 1973, pp. 143-153 (Rosenberg, 1973).

ROSENBERG, P. - REYNAUD, N. - COMPIN, I., Musée du Louvre, catalogue illustré des peintures, École française, XVIIᵉ et XVIIIᵉ siècles, Paris, 2 vol. 1974 (Rosenberg-Reynaud-Compin, 1974).

SARRADIN, E., « François Desportes au château de Compiègne », Art et industrie, Vᵉ année, n° 10, 1929, 10 octobre, pp. 21-25 (Sarradin, 1929).

SAVILL, R., Catalogue des porcelaines de Sèvres (Wallace collection), à paraître (Savill, à paraître).

STERLING, Ch., La Nature morte de l'antiquité à nos jours, Paris, 1959.

VERLET, P., « Les Paravents de Savonnerie pendant la première moitié du XVIIIᵉ siècle. Étapes d'une recherche. Chronologie d'une évolution », L'Information de l'histoire de l'art, 1967, mai-juin, pp. 106-118 (Verlet, 1967).

VERLET, P., « Louis XV et les grands services d'orfèvrerie parisienne de son temps », Pantheon, 1977, avril-mai-juin, pp. 131-142 (Verlet, 1977).

VERLET, P., Savonnerie. Its History. The Waddesdon Collection. A paraître.

VILLOT, F., Notice des tableaux exposés dans les galeries du Musée national du Louvre, 3ᵉ partie, école française, Paris, 14ᵉ éd. 1884.

WHITEHEAD, P. J. P. et BOESEMAN, M., A Portrait of 17th Century Brazil. Animals, Plants and People by the Artists of Count Johan Maurits, à paraître (Whitehead, à paraître).

Liste des œuvres composant l'atelier

Nous avons pensé qu'une liste complète de l'atelier pourrait être utile aux chercheurs. Pour la dresser, nous nous sommes basées sur l'inventaire sur fiches de Marcelle Brunet dont nous avons presque toujours respecté les titres. Encore une fois, il ne saurait être question ici de prétendre identifier ce qui est effectivement de la main de François Desportes. Nous avons fait état des problèmes d'attributions déjà reconnus, mais il est fort probable que d'autres pièces pourraient encore donner lieu à un examen critique. D'autre part, comme nous l'avons expliqué, il est pratiquement impossible aujourd'hui d'isoler l'atelier Desportes de l'ensemble du fonds ancien de la Manufacture. Certains tableaux de cette liste risquent donc d'être entrés à Sèvres par d'autres voies.

Nous avons respecté le classement ancien distinguant les œuvres non montées, longtemps conservées dans des portefeuilles thématiques, de celles montées sur chassis. Pour la première catégorie, il nous a paru utile de préciser s'il s'agissait de dessins ou d'huiles; les pièces montées sont toutes peintes à l'huile. Il faut préciser que depuis la rédaction de l'inventaire sur fiches, plusieurs études, après restauration, ont été montées sur châssis; par souci de simplification, leurs numéros de référence n'ont pas été changés.

Précisons enfin que nous entendons par « études » un ensemble de notations comprenant des détails isolés relatifs à un sujet, et par « esquisse » une ébauche de composition, étape intermédiaire entre les études et les tableaux qui les regroupent. Les pièces exposées sont précédées de leur numéro de catalogue.

Catalogue	Sèvres	
		PORTEFEUILLE Nº 1 : QUADRUPEDES
	I,1	Chien assis (Fp § 2 1814 nº 109) (Huile)
	I,2	Chienne noire debout (Fp § 2 1814 nº 98) (Huile)
	I,3	Chien tacheté (Fp § 2 1814 nº 101) (Huile)
9	I,4	Deux chiens blancs (Fp § 2 1814 nº 92) (Huile)
	I,5	Deux chiens blancs (Fp § 2 1814 nº 139) (Huile)
	I,6	Chien (Fp § 2 1814 nº 137) (Huile)
	I,7	Chien (Fp § 2 1814 nº 104) (Huile)
	I,8	Étude de chienne (Fp § 2 1814 nº 122) (Huile)
	I,9	Train avant de chien (Fp § 2 1814 nº 93) (Huile)
	I,10	Chienne blanche, « Lise » (Fp § 2 1814 nº 144) (Huile)
	I,11	Chien (Fp § 2 1814 nº 105) (Huile)
16	I,12	Chien (Fp § 2 1814 nº 100) (Huile)
	I,13	Chien (Fp § 2 1814 nº 132) (Huile)
	I,14 et vº	Étude de chiens (F § 6 1814 nº 102) (Dessin)
7	I,15	Chiens (F § 6 1814 nº 105) (Dessin)
	I,16	Chien (F § 6 1814 nº 114) (Dessin)
	I,17	Renard (F § 6 1814 nº 180) (Huile)
	I,18	Croupe et pattes de chiens (F § 6 1814 nº 127) (Huile)
	I,19	Tête de chien (F § 6 1814 nº 116) (Dessin)
	I,20	Étude de chiens (F § 6 1814 nº 115) (Dessin)
14	I,21	Étude de chiens (F § 6 1814 nº 194) (Dessin)
	I,22	Chien (F § 6 1814 nº 179) (Dessin)
	I,23	Chien (F § 6 1814 nº 103) (Dessin)
	I,23bis	Tête de loup (F § 6 1814 nº 85) (Huile)
	I,24	Étude de chiens (F § 6 1814 nº 108) (Dessin)
	I,25	Loup (F § 6 1814 nº 117) (Dessin)
19	I,26	Chien hurlant (F § 6 1814 nº 137) (Huile)
6	I,27	Étude de chiens (F § 6 1814 nº 131) (Dessin)
	I,28	Étude de chiens (F § 6 1814 nº 107) (Dessin)
	I,29	Chien (F § 6 1814 nº 113) (Dessin)
3	I,30 et vº	Étude de chien (F § 6 1814 nº 118) (Dessin)
4	I,31 et vº	Étude de quadrupèdes (F § 6 1814 nº 122) (Dessin)
5	I,32	Étude de chiens (F § 6 1814 nº 111) (Dessin)
	I,33	Étude de chiens (F § 6 1814 nº 104) (Dessin)
	I,34	Chien (Fp § 2 1814 nº 43) (Huile)
	I,35	Chien (Fp § 2 1814 nº 161) (Huile)

Catalogue	Sèvres	
	I,137	Singe (F § 6 1814 n° 101) (Huile)
	I,138	Étude de singes (F § 6 1814 n° 99) (Huile)
	I,139	Singes (F § 6 1814 n° 98) (Huile)
	I,140	Lémur (F § 6 1814 n° 93) (Huile)
112	I,141	Crocodile (F § 6 1814 n° 80) (Dessin)
39	I,142	Lézard (Fp § 2 1814 n° 152) (Huile)
40	I,143	Lézard sur le dos (F § 6 1814 n° 78) (Huile)
	I,144	Grenouilles (F § 6 1814 n° 77) (Huile)
	I,145	Chevreuil (F § 6 1814 n° 151) (Huile)
29	I,146	Cerf (F § 6 1814 n° 147) (Dessin)
	I,147	Tête de cerf (F § 6 1814 n° 149) (Huile)
	I,148	Cerf (Fp § 2 1814 n° 49) (Huile)
	I,149	Étude de bois de cerf (F § 6 1814 n° 144) (Huile)
	I,150	Chien coiffant un sanglier (F § 6 1814 n° 193) (Dessin)

PORTEFEUILLE N° 2 : OISEAUX

Catalogue	Sèvres	
	II,1	Rapace (F § 6 1814 n° 65) (Huile)
	II,2	Pintade (Fp § 6 1814 n° 64) (Huile)
	II,3	Oiseau de paradis (F § 6 1814 n° 54) (Huile)
	II,4	Études de pies (F § 6 1814 n° 53) (Huile)
	II,5	Jambon et oiseaux (F § 6 1814 n° 62) (Huile)
	II,6	Oiseau de paradis (F § 6 1814 n° 60) (Huile)
	II,7	Autruche (F § 6 1814 n° 55) (Huile)
	II,8	Oie (F § 6 1814 n° 61) (Huile)
	II,9	Autruche (F § 6 1814 n° 76) (Huile)
	II,10	Études d'oiseaux, singes, caméléon (F § 6 1814 n° 9) (Huile)
	II,11	Aigle (F § 6 1814 n° 24) (Huile)
	II,12	Pélican (F § 6 1814 n° 240) (Huile)
117	II,13	Trois oiseaux (Fp § 2 1814 n° 118) (Huile)
94	II,14	Oiseaux (F § 6 1814 n° 40) (Huile)
	II,15	Oiseau (F § 6 1814 n° 46) (Dessin)
43	II,16	Aile (F § 6 1814 n° 41) (Huile)
	II,17	Perroquet (F § 6 1814 n° 18) (Pastel ?)
	II,18	« Poules de Tunis » (F § 6 1814 n° 71) (Huile)
	II,19	Geai (F § 6 1814 n° 44) (Huile)
	II,20	Huppes (Fp § 2 1814 n° 115) (Huile)
	II,21	Mouette rieuse (Fp § 2 1814 n° 125) (Huile)
42	II,22	Étude de piverts (Fp § 2 1814 n° 81) (Huile)
113	II,23	Étude d'oiseau exotique (F § 6 1814 n° 48) (Huile)
	II,24	Canards (F § 6 1814 n° 69) (Huile)
	II,25	Faisan (F § 6 1814 n° 7) (Huile)
	II,26	Faisan (Fp § 2 1814 n° 142) (Huile)
	II,27	Faisan (Fp § 2 1814 n° 82) (Huile)
	II,27bis	Faisan (Fp § 2 1814 n° 83) (Huile)
34	II,28	Rouges-gorges (Fp § 2 1814 n° 178) (Huile)
116	II,29	Perdreau (Fp § 2 1814 n° 91) (Huile)
	II,30	Deux oiseaux exotiques (F § 6 1814 n° 28) (Huile)
	II,31	Tête de vautour (F § 6 1814 n° 22) (Huile)
	II,32	Piverts et geais (Fp § 2 1814 n° 50) (Huile)
	II,33	Faisan (Fp § 2 1814 n° 52) (Huile)
115	II,34	Étude d'échassiers (F § 6 1814 n° 47) (Huile)
	II,35	Faisan (F § 6 1814 n° 8) (Huile)
	II,36	Perdreau et faisan (F § 6 1814 n° 3) (Huile)
114	II,37	Étude de perroquet (F § 6 1814 n° 20) (Huile)

Catalogue	Sèvres	
	II,38	Perroquets (F § 6 1814 n° 21) (Huile)
	II,39	Étude de tourterelle et vaneau (F § 6 1814 n° 50) (Huile)
	II,40	Étude d'oiseaux divers (F § 6 1814 n° 36) (Huile)
	II,41	Buse (F § 6 1814 n° 25) (Huile)
	II,42	Étude de busard et buse (F § 6 1814 n° 26) (Huile)
	II,43	Aigle (F § 6 1814 n° 27) (Huile)
	II,44	Étude de faisans (F § 6 1814 n° 2) (Huile)
41	II,45	Étude de serpents (Fp § 2 1814 n° 45) (Huile)
101	II,46	Poissons, crustacés... (F § 6 1814 n° 81) (Huile)
91	II,47	Étude de poissons (F § 6 1814 n° 82) (Huile)
44	II,48	Papillons (F § 6 1814 n° 83) (Huile)
	II,48bis	Papillon (F § 6 1814 n° 84) (Huile)

PORTEFEUILLE N° 3 : PLANTES

Catalogue	Sèvres	
	III,1	Étude de roses (F § 7 1814 n° 73) (Huile)
	III,2	Plantes sauvages diverses (F § 7 1814 n° 59) (Huile)
	III,3	Feuilles de vigne (F § 7 1814 n° 23) (Huile)
	III,4	Plantes sauvages (Fp § 3 1814 n° 40) (Huile)
	III,5	Tulipe (Fp § 3 1814 n° 17) (Huile)
	III,6	Pied de bouillon blanc (Fp § 3 1814 n° 39) (Huile)
	III,7	Pêches (Fp § 3 1814 n° 11) (Huile)
81	III,8	Pied de bouillon blanc (F § 7 1814 n° 58) (Huile)
80	III,9	Pied de bouillon blanc (F § 7 1814 n° 65) (Dessin)
	III,10	Rose (F § 7 1814 n° 75) (Huile)
105	III,11	Dracoena ou Yucca (F § 7 1814 n° 71) (Dessin)
119	III,12	Polygonum orientale (F § 7 1814 n° 70) (Dessin) (attribué à Albert Eckhout)
95	III,13	Palmier-cocotier (F § 7 1814 n° 69) (Dessin)
	III,14 et v°	Feuilles (F § 7 1814 n° 68) (Dessin)
104	III,15	Cactus (?) (F § 7 1814 n° 72) (Dessin) (attribué à Albert Eckhout)
	III,16	Feuilles (F § 7 1814 n° 66) (Dessin)
	III,17	Feuilles de pêcher (F § 7 1814 n° 67) (Dessin)
	III,18	Pied de bouillon blanc (F § 7 1814 n° 3) (Huile)
	III,19	Feuilles de convolvulus (F § 7 1814 n° 24) (Huile)
85	III,20	Feuillage (F § 7 1814 n° 1) (Huile)
	III,21	Pieds de bouillon blanc (F § 7 1814 n° 15) (Huile)
	III,22	Troncs d'arbres (F § 7 1814 n° 9) (Huile)
65	III,23	Souches et chardon (F § 7 1814 n° 62) (Huile)
73	III,24	Oranger en fleurs (F § 7 1814 n° 11) (Huile)
	III,25	Souches et tronc d'arbres (F § 7 1814 n° 8) (Huile)
	III,26	Sapin (F § 7 1814 n° 10) (Huile)
86	III,27	Plantes sauvages (F § 7 1814 n° 14) (Huile)
83	III,28	Ronces (F § 7 1814 n° 25) (Huile)
82	III,29	Feuilles de vigne (F § 7 1814 n° 22) (Huile)
	III,30	Étude de tulipes (F § 7 1814 n° 74) (Huile)
72	III,31	Rosiers (F § 7 1814 n° 208) (Huile)
67	III,32	Troncs d'arbres morts (F § 7 1814 n° 34) (Huile)
64	III,33	Arbre (F § 7 1814 n° 37) (Huile)
71	III,34	Sureau et églantier (F § 7 1814 n° 13) (Huile)
	III,35	Troncs d'arbres et plantes (F § 7 1814 n° 12) (Huile)
79	III,36	Chardon et patience (F § 7 1814 n° 61) (Huile)
87	III,37	Plantes à longues feuilles (F § 7 1814 n° 4) (Huile)
	III,38	Tronc d'arbre et souche (F § 7 1814 n° 35) (Huile)
59	III,39	Troncs de saules (F § 7 1814 n° 50) (Huile)
	III,40	Plante (Fp § 3 1814 n° 28) (Huile)

Catalogue	Sèvres		Catalogue	Sèvres	
	S.126	Ane (Fp § 2 1814 n° 59)		S.181	Esquisse de composition décorative (Mp § 5 1814 n° 33)
	S.127	Chien (Fp § 2 1814 n° 138)		S.182	Esquisse de composition décorative (Mp § 5 1814 n° 32)
	S.128	Renard (Fp § 2 1814 n° 197)	92	S.183	Combats d'animaux (Fp § 2 1814 n° 192)
	S.129	Oiseaux-mouches (F § 6 1814 n° 42)		S.184	Halte de chasse (Fp § 1 1814 n° 18)
	S.130	Étude d'oiseau (F § 6 1814 n° 70)		S.185	Esquisse de composition décorative (Mp § 5 1814 n° 31)
	S.131	Chien (Fp § 2 1814 n° 107)		S.186	Chasseur et trophée de chasse (Mp § 5 1814 n° 18)
	S.132	Pic-épeiche (Fp § 2 1814 n° 55)		S.187	Esquisse de composition décorative (Mp § 5 1814 n° 2)
	S.133	Perdreau (Fp § 2 1814 n° 108)		S.188	Musiciens et cantatrice (Mp § 5 1814 n° 1)
	S.134	Chameaux (Fp § 2 1814 n° 13)	144	S.189	Nature morte (Mp § 5 1814 n° 38)
	S.135	Cacatoès (Fp § 2 1814 n° 117)		S.190	Esquisse pour chasse au loup (Fp § 2 1814 n° 157)
	S.136	Écrevisse (Fp § 2 1814 n° 151)		S.191	Chiens surveillant du gibier dans un paysage (Mp § 5 1814 n° 43)
	S.137	Chauve-souris (Fp § 2 1814 n° 150)		S.192	Esquisse pour double panneau décoratif (Mp § 5 1814 n° 30)
	S.138	Étude de tête de chien (F § 6 1814 n° 128)		S.193	Chasse au sanglier (Fp § 2 1814 n° 84) (Nicolas DESPORTES d'après François)
	S.139	Chienne (Fp § 2 1814 n° 198)		S.194	Pièces d'orfèvrerie (Mp § 5 1814 n° 41)
	S.140	Tête de loup (Fp § 2 1814 n° 51)	134	S.206	Têtes de sangliers (Fp § 2 1814 n° 10)
	S.141	Animaux divers (Fp § 2 1814 n° 19)		S.207	Têtes de quadrupèdes et renard (Fp § 2 1814 n° 11)
	S.142	Animaux, oiseaux et plantes (Fp § 2 1814 n° 79)		S.208	Étude d'oiseaux (Fp § 2 1814 n° 12)
	S.143	Aigles (Fp § 2 1814 n° 33)		S.209	Canards (Fp § 2 1814 n° 17)
	S.144	Mouette (F § 6 1814 n° 31)		S.210	Busard (Fp § 2 1814 n° 24)
	S.145	Faisan et perdrix (Fp § 2 1814 n° 86)		S.211	« Pompée », chien de Louis XIV (Fp § 2 1814 n° 28²)
	S.146	Pics épeiches (F § 6 1814 n° 43)		S.212	Train avant de chien (Fp § 2 1814 n° 36)
	S.147	Toucans (F § 6 1814 n° 37)		S.213	Animaux (Fp § 2 1814 n° 41)
	S.148	Aigle (Fp § 2 1814 n° 61)		S.214	Nature morte (Fp § 2 1814 n° 54)
	S.149	Chiens et singes (Fp § 2 1814 n° 29)	26	S.215	Rapace (Fp § 2 1814 n° 70)
	S.150	Oiseaux divers (Fp § 2 1814 n° 30)		S.216	Animaux (Fp § 2 1814 n° 71)
	S.151	Faisans (Fp § 2 1814 n° 5)		S.217	Chasse au cerf (Fp § 2 1814 n° 85) (Nicolas DESPORTES d'après François)
103	S.152	Plantes exotiques, singe, boa... (F § 7 1814 n° 20)		S.218	Six oiseaux (Fp § 2 1814 n° 87)
	S.153	Aubergines (F § 7 1814 n° 21)		S.219	Chienne blanche (Fp § 2 1814 n° 131)
	S.154	Roses (Fp § 3 1814 n° 21)		S.220	Chienne blanche « Tane » (Fp § 2 1814 n° 140)
	S.155	Roses blanches (Fp § 3 1814 n° 19)	12	S.221	Chien en arrêt devant une perdrix (Fp § 2 1814 n° 153)
	S.156	Pêches abricots (Mp § 5 1814 n° 21)		S.222	Chien en arrêt devant un faisan (Fp § 2 1814 n° 154)
	S.157	Pêches et poire (Fp § 3 1814 n° 20)		S.223	Combat de chats (Fp § 2 1814 n° 155) (attribué à Nicasius BERNAERTS)
	S.158	Fritillaire (Fp § 3 1814 n° 45)		S.224	Chien de meute (Fp § 2 1814 n° 163)
	S.159	Plantes (Fp § 3 1814 n° 43)		S.225	Gibier et jatte de cerises (Fp § 2 1814 n° 164)
	S.160	Aubergines (F § 7 1814 n° 60)		S.226	Faisan (Fp § 2 1814 n° 166)
	S.161	Plantes (F § 7 1814 n° 29)		S.227	Animaux divers (Fp § 2 1814 n° 179)
	S.162	Arbre de Judée (P § 2 1814 n° 63)		S.228	Busard (Fp § 2 1814 n° 185)
	S.163	Poivre (F § 7 1814 n° 49)		S.229	Faisans (Fp § 2 1814 n° 200)
	S.164	Tomate (F § 7 1814 n° 18)		S.230	Fleur de tournesol (Fp § 3 1814 n° 1)
	S.165	Troncs d'arbres et lierre (F § 7 1814 n° 52)		S.231	Plantes (Fp § 3 1814 n° 6)
	S.166	Concombres (F § 7 1814 n° 64)		S.232	Plantes (Fp § 3 1814 n° 7)
	S.167	Grenades (F § 7 1814 n° 63)		S.233	Guirlandes de raisins (Fp § 3 1814 n° 8) (attribué à Jean-Baptiste MONNOYER)
	S.168	Plantes (F § 7 1814 n° 55)		S.234	Fruits, animaux et orfèvrerie (Fp § 3 1814 n° 9) (attribué à Jean-Baptiste BELIN de FONTENAY)
	S.169	Fleurs, fruits et corbeille (Fp § 3 1814 n° 14)		S.235	Cinq compotiers bas garnis de fruits (Fp § 3 1814 n° 12)
	S.170	Plat d'orfèvrerie (Mp § 5 1814 n° 45)	143	S.236	Gibier, bouquet, jatte de fraises (Fp § 3 1814 n° 13)
	S.171	Pastèques et jambons (F § 7 1814 n° 27)		S.237	Bouquet (Fp § 3 1814 n° 16) (attribué à Jean-Baptiste MONNOYER)
	S.172	Vase en métal doré (Mp § 5 1814 n° 8)		S.238	Nature morte aux fruits (Fp § 3 1814 n° 25)
132	S.173	Dressoir (Mp § 5 1814 n° 22)			
	S.174	Pièces d'orfèvrerie (Mp § 5 1814 n° 24)			
140	S.175	Console dorée (Mp § 5 1814 n° 29)			
	S.176	Coquille de marbre (Mp § 5 1814 n° 36)			
	S.177	Coquille de marbre (Mp § 5 1814 n° 35)			
	S.179	Esquisse de composition décorative (Mp § 5 1814 n° 37)			
	S.178	Coquille de marbre (Mp § 5 1814 n° 28)			
20	S.180	Esquisse de chasse au sanglier (Fp § 2 1814 n° 193)			

Table des matières

Expositions du Cabinet des Dessins

1. Dessins de la Collection Moreau-Nélaton, 1951.
2. Dessins flamands du XVIIe siècle, 1952.
3. Dessins florentins du Trecento et du Quattrocento, 1952.
4. Dessins de l'École allemande, de Stephan Lochner à Elsheimer, 1952.
5. La collection de Carle Dreyfus, 1953.
6. Dessins d'intimistes hollandais, 1953.
7. Dessins et miniatures du XVIIe siècle, 1954.
8. Quelques aspects de la vie à Paris au XIXe siècle, 1954.
9. Donations et acquisitions du Cabinet des Dessins de 1946 à 1954, 1954.
10. Rembrandt et son entourage, 1955.
11. Dessins de maîtres florentins et siennois de la première moitié du XVIe siècle, 1955.
12. Dessins de jeunesse de Delacroix, 1955.
13. Pastels du XIXe siècle, 1956.
14. Donation D. David-Weill au Musée du Louvre : miniatures et émaux, 1956.
15. Théodore Chassériau, 1957.
16. L'enfant dans le dessin du XVe au XIXe siècle, 1957.
17. Enluminures et dessins français du XIIIe au XVIe siècle, 1957.
18. Portraits dans le dessin français du XVIIIe siècle, 1958.
19. Dessins florentins de la collection Filippo Baldinucci, 1958.
20. Monuments et sites d'Italie vus par les dessinateurs français de Callot à Degas, 1958.
21. Dessins de Pierre-Paul Rubens, 1959.
22. Le théâtre et la danse en France aux XVIIe et XVIIIe siècles, 1959.
23. Dessins romains du XVIIe siècle. Artistes italiens contemporains de Poussin, 1960.
24. François-Marius Granet, 1960.
25. Dessins français du XVIIe siècle. Artistes français contemporains de Poussin, 1960.
26. Dessins de Jean-François Millet, 1960.
27. Dessins allemands de la fin du XVe siècle à 1550, 1961.
28. Dessins des Carrache, 1962.
29. Dessins de Corot, 1962.
30. Delacroix, dessins, 1963.
31. Pastels et miniatures des XVIIe et XVIIIe siècles. 1963.
32. Dessins de sculpteurs, de Pajou à Rodin, 1964.
33. Dessins de l'École de Parme, 1964.
34. Pastels et miniatures des XVIIe et XVIIIe siècles, 1964.
35. Boudin, aquarelles et pastels, 1965.
36. Giorgio Vasari, dessinateur et collectionneur, 1965.
37. Pastels et miniatures du XIXe siècle, 1966.
38. Amis et contemporains de P.-J. Mariette, 1967.
39. Le dessin à Naples du XVIe au XVIIIe siècle, 1967.
40. Dessins de Steinlen (1859-1923), 1968.
41. Maîtres du Blanc et Noir de Prud'hon à Redon, 1968.
42. Dessins de Taddeo et Federico Zuccaro, 1968.
43. Dessins de Raphaël à Picasso (Galerie nationale du Canada), 1970.
44. Dessins vénitiens du XVe au XVIIIe siècle, 1970.
45. Dessins du Nationalmuseum de Stockholm, 1970.
46. De Van Eyck à Spranger. Dessins des maîtres des anciens Pays-Bas, 1971.
*47. Dessins du Musée de Darmstadt, 1971.
48. Dessins de la Collection du marquis de Robien conservés au Musée de Rennes, 1972.
*49. Dessins d'architecture du XVe au XIXe siècle dans les collections du Musée du Louvre, 1972.
*50. Dessins français de 1750 à 1825. Le néo-classicisme, 1972.
*51. Cent dessins du Musée Teyler, Haarlem, 1972.

*52. La Statue équestre de Bouchardon, 1973.
53. Le dessin italien sous la Contre-Réforme, 1973.
54. Dessins français du Metropolitan Museum de New York. De David à Picasso, 1973-1974.
55. Cartons d'artistes du XVe au XIXe siècle, 1974.
*56. Dessins du Musée Atger, Montpellier, 1974.
57. Dessins italiens de l'Albertina de Vienne, 1975.
*58. Dessins italiens de la Renaissance, 1975.
59. Michel-Ange au Louvre. Les dessins, 1975.
60. Voyageurs au XVIe siècle, 1975.
*61. Dessins du Musée des Beaux-Arts de Dijon, 1976.
62. Dessins français de l'Art Institute de Chicago. De Watteau à Picasso, 1976-1977.
*63. De Burnes-Jones à Bonnard. Dessins provenant du Musée National d'Art Moderne. 1977.
64. Le corps et son image. Anatomies, académies, 1977.
*65. Rubens, ses maîtres, ses élèves. Dessins du Musée du Louvre, 1978.
66. Nouvelles attributions, 1978.
67. Claude Lorrain. Dessins du British Museum, 1978-1979.
68. Le paysage en Italie au XVIIe siècle. Dessins du Musée du Louvre, 1978-1979.
*69. Dessins français du XIXe siècle du Musée Bonnat à Bayonne, 1979.
70. Revoir Dürer, 1980.
71. Revoir Ingres (dessins du Cabinet des Dessins). Paysages d'Ingres (dessins du Musée Ingres, Montauban). Portraits contemporains d'Ingres (dessins, miniatures et pastels du Cabinet des Dessins), 1980.
*72. Donations Claude Roger-Marx, 1980-1981.
73. Revoir Chassériau, 1980-1981.
74. Donation P.-F. Marcou - J. et V. Trouvelot, 1981.
*75. Dessins baroques florentins du Musée du Louvre, 1981-1982.
76. Revoir Delacroix, 1982.

Expositions de la Collection Edmond de Rothschild

1. Chefs-d'œuvre du Cabinet Edmond de Rothschild, 1959-1960.
2. La Gravure française au XVIIIe siècle, 1960.
3. La Gravure italienne au Quattrocento, I, Florence, 1961.
4. La Gravure française au XVIe siècle, 1963.
5. L'Ancien Testament, Gravures, 1964.
6. La Gravure italienne au Quattrocento et au début du Cinquecento, II, Florence et le nord de l'Italie, 1965.
7. Le Seizième Siècle européen. Gravures et dessins du Cabinet Edmond de Rothschild, 1965-1966.
* 8. Modes et Costumes français. Gravures et dessins, 1966.
9. François Boucher, 1971.
10. Les Incunables de la collection Edmond de Rothschild. La gravure en relief sur bois et sur métal, 1974.
11. Estampes « au ballon » de la collection Edmond de Rothschild, 1976.
*12. Maîtres de l'eau forte des XVIe et XVIIe siècles, 1980.

Catalogue encore disponible.

Achevé d'imprimer
en octobre 1982
sur les presses
de l'Imprimerie Moderne du Lion, Paris

Composé en Bembo
par Bussière Arts Graphiques

Photogravure Sygma Color

Maquette de Jean-Pierre Rozier

ISBN : 2-7118-0223-X